# Introduction à la poésie québécoise

Jean Royer

# Introduction à la poésie québécoise

*Les poètes et les œuvres des origines à nos jours*

BQ

BIBLIOTHÈQUE QUÉBÉCOISE

Bibliothèque québécoise inc. est une société d'édition administrée conjointement par la Corporation des éditions Fides, les éditions Hurtubise HMH ltée et Leméac éditeur.

*Éditeur délégué*

Jean Yves Collette

*Conseiller littéraire*

Aurélien Boivin

DÉPÔT LÉGAL : PREMIER TRIMESTRE 1989
BIBLIOTHÈQUE NATIONALE DU QUÉBEC



ISBN : 2-89406-029-7

*Ce n'est pas un poème, ni même un poète qui changera le monde, mais la succession des œuvres poétiques qui sont la colonne vertébrale d'une culture, d'une civilisation.*

GILLES HÉNAULT

*La poésie est peut-être la recherche d'un absolu très humble.*

MARIE UGUAY

# Avant-propos

L'aventure de la poésie québécoise est unique et son destin exemplaire. Son itinéraire se déroule en accéléré, à même une histoire qui est celle de la *résistance* de la langue française dans une Amérique du Nord anglophone. Cette poésie ne se définit pourtant pas comme une littérature de survivance : elle a conquis le terrain de son langage. Et sa modernité, qui s'impose depuis à peine un demi-siècle, la maintient à l'avant-garde des poésies de langue française dans le monde.

Mais comment lire la poésie ? Quelles sont les œuvres marquantes ? Quels poètes doit-on choisir d'aborder parmi l'abondante production contemporaine ? Depuis plusieurs années, j'entends ces questions que pose un public intéressé à la poésie mais incapable de s'y retrouver. Je n'ai toujours que la même réponse à lui donner: c'est à connaître leur place dans l'histoire littéraire qu'on apprécie le mieux les poètes et leur poésie.

Le présent essai n'a d'autre but que de retracer, à l'intention d'un large public, les âges de notre poésie : les étapes de son évolution, les mouvements qui la secouent, les poèmes qui la balisent, les figures légendaires qui l'habitent et ses voix les plus personnelles, d'Émile Nelligan à Gaston Miron et d'Anne Hébert à Marie Uguay.

Certes, un tel ouvrage n'élabore pas une histoire exhaustive de la poésie québécoise mais il en amorce le projet et constitue, pour la première fois, un panorama qui va des origines à nos jours. Il accompagne aussi mes deux anthologies déjà parues : *Le Québec en poésie* et *La Poésie québécoise contemporaine*.

Cette introduction, dans un premier temps, s'attache plus à l'apparition des poètes dans l'histoire qu'à la description critique de leurs œuvres. Les quatre premiers chapitres s'emploient à résumer le déroulement des ruptures et continuités qui ont conduit une jeune poésie à sa maturité, à sa modernité et à la diversité de ses voix. Il s'agissait, dans un deuxième temps, de présenter les poètes des années 1980 et de les regrouper sous des thématiques précises qui permettent de les situer dans l'art poétique. On comprendra cependant que la dimension forcément restreinte de cet ouvrage ne m'autorisait pas à citer tous les poètes.

À travers ce cheminement, je ne me suis jamais senti seul, puisque mon essai impliquait la mise à contribution des nombreux travaux sur le sujet. Je n'aurais pu élaborer ce panorama historique sans les recherches universitaires, sans les analyses pénétrantes ou les critiques pertinentes des fidèles commentateurs de notre poésie, dont les textes ont pu nourrir ma propre recherche.

En fin de volume, après des commentaires personnels sur la présence de la poésie aujourd'hui, je propose des orientations bibliographiques constituées de listes d'ouvrages de référence (anthologies, études, essais) que complète un choix d'œuvres des poètes cités. Des suggestions de lecture accompagnent aussi chacune des périodes étudiées. L'ensemble de cette bibliographie tient compte des titres encore disponibles aux catalogues des éditeurs québécois.

J. R.

# PREMIÈRE PARTIE
# LES ORIGINES
# (1534-1895)

## 1534
# Découvreurs et voyageurs

JACQUES CARTIER — MARC LESCARBOT
RENÉ-LOUIS CHARTIER DE LOTBINIÈRE

Découvrant les terres *neufves* en 1534 puis le « chemin du Canada » l'année suivante et pénétrant, après hésitation, « dans ce fleuve, qui va si loin, que jamais homme n'avait été jusqu'au bout », JACQUES CARTIER (1491-1557) a pris possession des rives du Saint-Laurent en les nommant.

Dans ses récits de voyages qui fondent non seulement un pays neuf mais une littérature nouvelle, le découvreur ne se contente pas de décrire le paysage : il nomme aussi le pays avec un émerveillement renouvelé. S'il a dû terminer son premier voyage à cap Thiennot (Pointe Natashquan), Jacques Cartier reviendra en 1535 remonter le Saint-Laurent pour prendre véritablement possession du pays avec ses navires, ses équipages et les mots qui traduisent, plus que le bilan d'un navigateur, la vision d'un poète émerveillé d'être le premier à nommer en français ce monde grandiose.

On sent l'émotion de Jacques Cartier dès son premier voyage où il découvre les Îles de la Madeleine. Voici comment il voit et nomme, entre autres, l'Île de Brion, au nord-ouest de l'archipel :

> *À cinq lieues à l'ouest desdites îles était l'autre île, qui a environ deux lieues de long et autant de large. Nous*

*nous y rendîmes pour la nuit, pour avoir des eaux et du bois à feu. Cette île est bordée de bancs de sable, et de beaux fonds, et on peut s'y ancrer tout autour à six et sept brasses. Cette dite île est la meilleure terre que nous ayons vue, car un arpent de cette terre vaut mieux que toute la Terre-Neuve. Nous la trouvâmes pleine de beaux arbres, prairies, champs de blé sauvage, et de pois en fleurs, aussi gros et aussi beaux comme je n'en vis jamais en Bretagne, qu'ils semblaient y avoir été semés par des laboureurs. Il y a force groseilliers, fraisiers et rosiers de Provins, persils, et autres bonnes herbes de grande odeur. Il y a autour de cette île, plusieurs grandes bêtes, comme des grands bœufs qui ont deux dents dans la gueule comme des dents d'éléphant, qui vont en mer. Desquelles, il y en avait une, qui dormait à terre, à la rive de l'eau, et allâmes avec nos barques, pour essayer de la prendre ; mais dès que fûmes auprès d'elle, elle se jeta en la mer. Nous y vîmes pareillement des ours et des renards. Cette île fut nommée l'Ile de Brion.*

Nommer le pays, voilà ce que firent à sa suite tout un peuple et ses poètes au pays de Neufve France devenu le Québec. Dans les années 1960, par exemple, quand Pierre Perrault se met à écrire sur la route de Jacques Cartier ses chroniques de terre et de mer, *Toutes Isles*, le poète tente à son tour de découvrir un pays, non plus dans ses seuls paysages, mais dans la parole même de ses habitants. L'histoire de la Nouvelle-France se présente aussi comme une aventure de langage.

Au début de la colonisation, la langue sera pure et riche. Les « habitants » parleront la langue de Paris. Ils s'intéresseront à la littérature de la mère patrie, en l'occurrence au théâtre, qui porte la poésie du XVIIe siècle. En Nouvelle-France, on joue Corneille et

Molière. On écrit aussi des vers pour la polémique et la caricature, autant que pour les cantiques religieux.

La littérature de cette époque se constitue surtout de récits de voyages. La poésie est une langue de circonstance qui se nourrit d'épopée populaire, d'ethnographie ou même de folklore. Ainsi MARC LESCARBOT (1570-1642), de passage au Nouveau Monde en 1606, publiera-t-il en Europe son récit de voyage sous le titre *Les Muses de la Nouvelle-France*

Plus tard, ce sera au tour de RENÉ-LOUIS CHARTIER DE LOTBINIÈRE (1641-1709) de faire paraître un récit en vers burlesque qui raconte l'échec d'une expédition contre les Iroquois en 1666 : *Sur le voyage de Monsieur de Courcelles.* Arrivé en Nouvelle-France à l'âge de dix ans, l'auteur avait étudié chez les Jésuites, à Québec. Son poème pourrait être le premier écrit et publié par quelqu'un qui a fait ses études en Canada :

*Il y eut matière de rire*
*Que je ne scaurais vous descrire*
*Car on voyait ces fiierabras*
*Pour nettoyer leurs museaux gras*
*Se torcher au lieu de serviette*
*De leur chemise ou chemisette*
*Et quelques uns de leur capot*
*Dont ils frottoient souvent leur pot*
*Avec cette trouppe animée*
*Pour dessert vivant de fumée*
*Ou de substance de tabac*
*Vous passates ainsy le lacq*
*Ou vous fistes quelque curée*
*De quelque beste deschirée.*

# 1760
# Les premières poésies

LES CHANSONS DES PATRIOTES — *LA GAZETTE*
MICHEL BIBAUD — FRANÇOIS-XAVIER GARNEAU
JAMES HUSTON — L'INSTITUT CANADIEN

Les origines de cette poésie appartiennent donc à la France et à quelques voyageurs — explorateurs, missionnaires, administrateurs — qui écrivent les mémoires rimés de leurs exploits et des paysages de la Nouvelle-France.

De cette époque nous viennent quelques couplets nostalgiques comme ceux de la populaire *Chanson des voyageurs* qui est presque devenue un chant national, transmis de génération en génération depuis les premiers découvreurs. Vieille romance française adaptée au pays par les canotiers, les voyageurs de traite et les interprètes, nous dit Jeanne-d'Arc Lortie (*Les textes poétiques du Canada français 1606-1867*), elle fut publiée pour la première fois ici par Napoléon Aubin dans *La Minerve* du 13 juillet 1835, à l'intérieur d'une nouvelle.

La *Chanson des voyageurs* est aujourd'hui connue sous le titre *À la claire fontaine*. Selon certaines interprétations, cette histoire d'amour a pris, après 1760, un sens symbolique : l'amoureux, c'est le Canadien, et l'amante, l'ancienne France. Selon Conrad Laforte, le refrain « Jamais je ne t'oublierai » aurait jailli de la même inspiration que la devise du Québec, « Je me souviens », adoptée en 1883. Mais déjà en 1848, James Huston avait fait de cette chanson le premier texte de son *Répertoire*:

*À la claire fontaine*
*M'en allant promener*
*Je trouvai l'eau si belle*
*Que je m'y suis baigné.*
*Il y a si longtemps que je t'aime,*
*Jamais je ne t'oublierai.*

*Je trouvai l'eau si belle*
*Que je m'y suis baigné ;*
*Sous les feuilles d'un chêne*
*Je me suis fait sécher.*

*Sous les feuilles d'un chêne*
*Je me suis fait sécher ;*
*Sur la plus haute branche*
*Le rossignol chantait,*

*Sur la plus haute branche*
*Le rossignol chantait ;*
*Chante, rossignol chante,*
*Toi qui as le cœur gai.*

*Chante, rossignol, chante,*
*Toi qui as le cœur gai ;*
*Tu as le cœur à rire,*
*Moi je l'ai à pleurer.*

*Tu as le cœur à rire,*
*Moi je l'ai à pleurer ;*
*J'ai perdu ma maîtresse,*
*Comment m'en consoler ?*

*Il y a longtemps,* etc.

C'est seulement après la fondation des premiers postes de la colonie et avec l'organisation de l'enseignement qu'une jeune élite se met à commenter les événements locaux selon les plaisirs de la versification française. Mais ces jeux anodins sont interrompus par les Anglais qui s'emparent de Québec en 1759. La France abandonne alors la colonie à l'Angleterre. Les colons les plus nantis quittent la Nouvelle-France. Environ 55 000 paysans feront face à l'assimilation.

En 1779, la première bibliothèque publique du Canada est bilingue de même que son premier journal : LA GAZETTE DE QUÉBEC. C'est là que paraissent les premières poésies canadiennes. Une petite élite française, coupée de ses racines, prend heureusement conscience de sa survie et organise sa résistance contre l'occupant anglais. Elle fonde des organismes culturels qui lui permettront de récupérer ses légendes et son histoire. Elle édite des périodiques où se retrouvent les intellectuels et les hommes politiques. C'est là aussi que se publient des pièces en vers, des fables, des satires et des chansons patriotiques et que vont se rejoindre durant un certain temps la poésie populaire et celle de l'élite. Mais sans structure éditoriale, la littérature ne compte que trois recueils de poésie avant 1863.

C'est à MICHEL BIBAUD (1782-1857) qu'on doit, en 1830, le premier recueil de poésie publié au Bas-Canada : *Épitres, satires, chansons, épigrammes et autres pièces de vers*. Cet enseignant, qui devient journaliste et fonde plusieurs périodiques entre 1816 et 1840, se révèle un véritable animateur de la vie littéraire de son époque :

*Lecteur, depuis six jours, je travaille et je veille,*
*Non, pour de sons moelleux chatouiller ton oreille,*
*Ou chanter en vers doux de douces voluptés ;*
*Mais pour dire en vers durs de dures vérités.*

La société paysanne, analphabète, était restée longtemps indifférente à ses poètes. Après Joseph Quesnel et Joseph Mermet, Michel Bibaud se plaint du peu d'intérêt de ses concitoyens pour la littérature. Mais l'heure est au patriotisme. Le Bas-Canada français tente de faire valoir ses droits face au Haut-Canada anglais, dans cette colonie divisée depuis 1791. Dans les journaux, on lit beaucoup de chansons de patriotes anonymes. En 1837, éclate l'insurrection. En 1838, c'est la répression contre la déclaration d'Indépendance du Bas-Canada : on pend douze patriotes et l'on emprisonne plusieurs journalistes et militants. Mais la résistance culturelle s'organise.

FRANÇOIS-XAVIER GARNEAU rédige son *Histoire du Canada* et JAMES HUSTON publie le *Répertoire national* de la littérature canadienne. Huston réunit ainsi en quatre volumes, à partir de 1848, l'anthologie d'une littérature jusque-là dispersée dans les journaux et qui autrement serait perdue. Le recueil sera publié par souscription :

> *Nous soumettons aujourd'hui, au public Canadien, le projet d'une compilation, qui, suivant l'avis d'un grand nombre d'hommes instruits, devra être très utile aux jeunes gens studieux, aux écrivains du Canada, et très intéressante pour les personnes qui aiment la littérature nationale et qui voudront étudier son enfance, ses progrès et son avenir* [1].

En même temps qu'apparaissent ces deux monuments d'une littérature nationale, l'élite fonde l'INSTITUT CANADIEN de Montréal, puis celui de Québec. C'est là que les intellectuels se regroupent pour échanger leurs idées, leurs discours et leurs poésies.

---

1. HUSTON, James, *Répertoire national, 1848-1850*, édité par Robert Mélançon. Montréal, VLB Éditeur, 1982.

## 1848
# Le patriotisme et la religion

Octave Crémazie — Louis Fréchette
Pamphile Lemay — William Chapman
Nérée Beauchemin — Eudore Évanturel

Durant la seconde moitié du XIXe siècle, c'est surtout par la poésie que survit et s'affirme la littérature canadienne-française. Forte de son héritage français, où l'on reconnaît un patriotisme puissant et un goût développé pour l'expression poétique, cette poésie s'alimente surtout à deux pôles d'attraction: le patriotisme et la religion. Ajoutons à cela le romantisme que viennent de découvrir les poètes canadiens-français et nous aurons compris le ton et le rôle qu'ils se sont donnés jusqu'à la fin du siècle.

Plus que jamais, le poète canadien-français se prend pour un demi-dieu à qui il revient de cultiver le sentiment national, ainsi que l'a décrit Jeanne d'Arc Lortie : « L'idée nationale colore dans notre romantisme la notion même de poète. Celui-ci se présente comme porte-parole et guide de la collectivité. Lorsqu'il exalte les valeurs ethniques, il touche aisément, tel un Crémazie, le cœur du peuple. On peut certes affirmer que les poètes des XVIIIe et XIXe siècles parlent à tout le peuple, chantent pour lui et sont compris de lui[2] ». C'est à Québec d'abord, centre culturel et politique, que s'élabore une poésie patriotique enracinée dans le passé français. Un émule de Béranger, OCTAVE CRÉMAZIE (1827-1879), auteur de ballades et complaintes, donne le ton du fond de son arrière-boutique. Le jeune poète a fondé avec son frère une librairie qui constituera un carrefour de l'animation culturelle à Québec durant près de vingt ans. Jusqu'au moment où, en 1862, Crémazie doit fuir incognito à Paris pour ne pas rencontrer ses créanciers. Le poète aura eu le temps de chanter la patrie des anciens Canadiens et surtout d'inspirer une nouvelle génération de poètes nés autour de 1837 dont au moins deux vont devenir célèbres : Louis Fréchette et Pamphile Lemay.

Crémazie, pour sa part, avait peut-être pour la poésie plus de passion que de talent. Lisons par exemple « Le Potowatomis » :

*LE POTOWATOMIS*

*Il est là sombre et fier; sur la forêt immense,*
*Où ses pères ont vu resplendir leur puissance,*
*Son oeil noir et perçant lance un regard amer.*
*La terre vers le ciel jette ses voix sublimes,*
*Et les pins verdoyants courbent leurs hautes cimes*
*Ondoyantes comme la mer.*

*Mais le vent souffle en vain dans la forêt sonore;*
*En vain le rossignol, en saluant l'aurore,*
*Fait vibrer dans les airs les notes de son chant ;*
*Car l'enfant des forêts, toujours pensif et sombre,*
*Regarde sur le sable ondoyer la grande ombre*
*De l'étendard de l'homme blanc.*

---

2. *La Poésie nationaliste au Canada français (1606-1867).* Québec, Presses de l'Université Laval, coll. «Vie des Lettres québécoises», 1975.

« Mes chants naquirent de tes chants », écrit à Crémazie le jeune Louis Fréchette (1839-1908) qui finira par se prendre pour le Victor Hugo du Canada français en écrivant sa *Légende d'un peuple*. Si le journalisme et la politique n'ont pas souri à cet avocat, la poésie lui vaut cependant une carrière longue et fructueuse, couronnée en 1880 par un prix de l'Académie française pour son recueil *Fleurs boréales* dont voici un extrait :

*JANVIER*

*La tempête a cessé. L'éther vif et limpide*
*A jeté sur le fleuve un tapis d'argent clair,*
*Où l'ardent patineur au jarret intrépide*
*Glisse, un reflet de flamme à son soulier de fer.*

*La promeneuse, loin de son boudoir tépide,*
*Bravant sous les peaux d'ours les morsures*
*de l'air,*
*Au son des grelots d'or de son cheval rapide,*
*À nos yeux éblouis passe comme un éclair.*

*Et puis, pendant les nuits froidement idéales,*
*Quand, au ciel, des milliers d'aurores boréales*
*Battent de l'aile ainsi que d'étranges oiseaux,*

*Dans les salons ambrés, nouveaux temples*
*d'idoles,*
*Aux accords de l'orchestre, au feu des girandoles,*
*Le quadrille joyeux déroule ses réseaux !*

Quant à Pamphile Lemay, moins fier de son génie que Fréchette, il inaugure une poésie intimiste. Avec lui, le poète canadien-français commence à douter de la nécessité de sa voix publique pour se chercher une âme. D'inspiration romantique et religieuse, en même temps qu'habitée par un désir de la perfection formelle, sa poésie se rapproche d'une certaine façon de celle des

Parnassiens. Cette poésie ne veut pas seulement se parler, elle veut *s'écrire*.

*À UN VIEIL ARBRE*

*Tu réveilles en moi des souvenirs confus.*
*Je t'ai vu, n'est-ce pas ? moins triste et moins modeste.*
*Ta tête sous l'orage avait un noble geste,*
*Et l'amour se cachait dans tes rameaux touffus.*

*D'autres, autour de toi, comme de riches fûts,*
*Poussaient leurs troncs noueux vers la voûte céleste.*
*Ils sont tombés, et rien de leur beauté ne reste ;*
*Et toi-même, aujourd'hui, sait-on ce que tu fus ?*

*ô vieil arbre tremblant dans ton écorce grise ;*
*Sens-tu couler encore une sève qui grise ?*
*Les oiseaux chantent-ils sur tes rameaux gercés ?*

*Moi, je suis un vieil arbre oublié dans la plaine,*
*Et, pour tromper l'ennui dont ma pauvre âme est pleine,*
*J'aime à me souvenir des nids que j'ai bercés.*

D'ailleurs, la poésie de Leconte de Lisle s'alliera à celle de Musset pour influencer la génération suivante des poètes canadiens nés vers 1850 et dont les plus connus restent WILLIAM CHAPMAN (1850-1917) et NÉRÉE BEAUCHEMIN (1850-1731). Oublions Chapman, qui est jaloux de son aîné Fréchette et sera le dernier des poètes patriotes grandiloquents. Mais Nérée Beauchemin deviendra le poète discret d'une patrie plus intime et son visage de doux patriarche rejoindra celui de Pamphile Lemay. Il nous reste de Beauchemin l'image d'un médecin de campagne qui, durant ses loisirs, rêvait sur sa galerie à des poèmes qui prolongeraient par l'écrit nos paroles les plus raffinées. Ainsi sa poésie se donne-t-elle dans les mots les plus simples :

*LA MER*

*Loin des grands rochers noirs que baise la marée,*
*La mer calme, la mer au murmure endormeur,*
*Au large, tout là-bas, lente s'est retirée,*
*Et son sanglot d'amour dans l'air du soir se meurt.*

*La mer fauve, la mer vierge, la mer sauvage,*
*Au profond de son lit de nacre inviolé*
*Redescend, pour dormir, loin, bien loin du rivage,*
*Sous le seul regard pur du doux ciel étoilé.*

*La mer aime le ciel : c'est pour mieux lui redire,*
*À l'écart, en secret, son immense tourment,*
*Que la fauve amoureuse, au large se retire,*
*Dans son lit de corail, d'ambre et de diamant.*

*Et la brise n'apporte à la terre jalouse,*
*Qu'un souffle chuchoteur, vague, délicieux:*
*L'âme des océans frémit comme une épouse*
*Sous le chaste baiser des impassibles cieux.*

C'est EUDORE ÉVANTUREL (1852-1919) né à Québec, qui deviendra le poète le plus important de cette génération. Petit-fils d'un « Soldat de l'Empire » chanté par Crémazie, Évanturel écrit une poésie farouchement individualiste, sobre et dépouillée, qui va contre la tradition poétique à la mode lancée par ses aînés. Aussi, quand il publie en 1878 ses *Premières Poésies*, il est écrasé par la critique officielle et vite pris en otage dans une querelle politico-littéraire. Ni patriotique ni religieuse, sa poésie déroute: elle est triste et lucide, ironique et personnelle :

*SOULAGEMENT*

*Quand je n'ai pas le cœur prêt à faire autre chose,*
*Je sors et je m'en vais, l'âme triste et morose,*
*Avec le pas distrait et lent que vous savez,*

*Le front timidement penché vers les pavés,*
*Promener ma douleur et mon mal solitaire*
*Dans un endroit quelconque, au bord d'une rivière,*
*Où je puisse enfin voir un beau soleil couchant.*

*ô les rêves alors que je fais en marchant,*
*Dans la tranquilité de cette solitude,*
*Quand le calme revient avec la lassitude !*

*Je me sens mieux. Je vais où me mène mon cœur.*
*Et quelquefois aussi, je m'assieds tout rêveur,*
*Longtemps, sans le savoir, et seul, dans la nuit brune,*
*Je me surprends parfois à voir monter la lune.*

Eudore Évanturel, contemporain de Rimbaud, se révèle en quelque sorte le premier « moderne » de la poésie québécoise. Il parle de la mort, de l'amour et de l'art. Il décrit même une œuvre d'art dans un musée, comme le fera Paul-Marie Lapointe un siècle plus tard dans ses *Tableaux de l'amoureuse*. Eudore Évanturel est en avant de son temps. Sa poésie dérange. Il est rejeté par son époque. Quand libéraux et conservateurs se disputent ses poésies athées et sensuelles, Évanturel prend peur. Il cesse d'écrire et s'exile comme archiviste du Québec à Boston. Comme le disait Crémazie vingt ans plus tôt : il ne fait pas bon être poète quand on vit dans une « société d'épiciers »...

Comment, prisonnier de son rôle public, le poète canadien-français peut-il écrire une poésie personnelle ? James Prendergast choisit de s'exiler au Manitoba. Léon Lorrain se suicide en 1892.

Cependant, les poètes de l'École patriotique de Québec vieillissent et leurs thèmes avec eux. Peu à peu la poésie patriotique se fait régionaliste, elle passe de l'épopée à la petite patrie et à des sujets plus personnels.

## *Suggestions de lecture*
*Les origines (1534-1895)*

CARTIER, Jacques, *Relations*. Montréal, édition critique par Michel Bideaux, Presses de l'Université de Montréal, coll. « Bibliothèque du Nouveau Monde », 1986.

ÉVANTUREL, Eudore, *Premières Poésies 1876-1878*, Montréal, Leméac et Paris, Éditions d'aujourd'hui, « Introuvables québécois », 1979.

ÉVANTUREL. Eudore, *L'Œuvre poétique d'Eudore Évanturel*, Québec, édition critique, texte établi et annoté par Guy Champagne, Presses de l'Université Laval, coll. « Vie des lettres québécoises », 1988.

# DEUXIÈME PARTIE

# LES FONDATIONS (1895-1937)

# 1895
# L'École littéraire de Montréal

Henry Desjardins et les Six-Éponges
Édouard Zotique Massicotte
Arthur de Bussières — Émile Nelligan

L'École littéraire de Montréal remplacera en 1895 « la boutique de Crémazie », selon l'expression de Berthelot Brunet. La littérature désormais se fait en ville. À Montréal, de nombreuses petites revues regroupent des poètes du dimanche, fervents symbolistes ou décadents, « jeunes barbares » que les réprimandes du vieil Authur Buies font plutôt rire. Le groupe d'Henry Desjardins, pour qui la poésie est une façon d'occuper ses loisirs et qui s'est baptisé « Les Six-Éponges », propose à Édouard Zotique Massicotte, l'animateur de la « pléiade rouge » de l'Institut canadien, de fonder ensemble une société. Ainsi naît l'École littéraire de Montréal: dans la fraternité de quelques jeunes poètes. Un artiste, un journaliste, un médecin, un libraire, des étudiants, des avocats qui, réunis autour d'une table, se confient leurs manuscrits et se récitent leurs vers. Ils n'affichent aucun credo littéraire, mais ils écrivent sous les influences romantiques, parnassiennes et symbolistes.

En 1898, ils décident de tenir des séances publiques au château de Ramezay. Sous la présidence du buste de « Victor Hugo, le dieu », on célèbre le culte de la forme tout en accédant au chant profond d'une musique plus intime. Un jeune ouvrier est de la fête : ARTHUR DE BUSSIÈRES, bohème et poète, auteur de sonnets d'une élégance froide et parfaite, au vocabulaire exotique. « Certains soirs rigoureux d'hiver où le sol craquait sous les pas, écrira plus tard JEAN CHARBONNEAU (1875-1960), l'historien de l'École littéraire de Montréal, de Bussières arrivait au château de Ramezay sans paletot, coiffé d'une casquette indigente, sans gants, chaussé de pantoufles légères retenues par de faibles cordons, une cigarette à la commissure des lèvres où passait, par instant, un sourire énigmatique. » Cette allure contraste avec celle de son ami ÉMILE NELLIGAN (1879-1941), qu'il a introduit dans le groupe. Ce jeune dieu de dix-sept ans, qui a déjà assimilé l'essentiel de l'art de son temps, sera décrit ainsi par son ami le critique Louis Dantin, qui réunira ses premières poésies : « Une vraie physionomie d'esthète; une tête d'Apollon rêveur et tourmenté, où la pâleur accentuait le trait net, taillé comme au ciseau dans un marbre. Des yeux très noirs, très intelligents, où rutilait l'enthousiasme, et des cheveux, oh ! des cheveux à faire rêver, dressant superbement leur broussaille d'ébène, capricieuse et massive, avec des airs de crinière et d'auréole. »

Nelligan, fils d'Irlandais qui adopte la culture de sa mère canadienne-française, en rupture de ban avec le système social et scolaire de son temps, avait choisi d'être poète à seize ans. Il lit, mémorise et collectionne les poèmes. Il vit en poésie. Aux rares soirées du château Ramezay auxquelles il participe, il éblouit. Le 26 mai 1889, en réponse aux critiques de l'époque, le jeune poète récite sa « Romance du vin » :

*C'est le règne du rire amer et de la rage*
*De se savoir poète et l'objet du mépris,*
*De se savoir un cœur et de n'être compris*
*Que par le clair de lune et les grands soirs d'orage !*
*Femmes ! je bois à vous qui riez du chemin*
*Où l'Idéal m'appelle en ouvrant ses bras roses ;*
*Je bois à vous surtout, hommes aux fronts moroses*
*Qui dédaignez ma vie et repoussez ma main !*

L'euphorie gagne la petite assemblée. Nelligan est porté en triomphe dans les rues de Montréal.

Hélas ! deux mois plus tard, il entre en clinique, pris au piège des « oiseaux de génie ». Il avait écrit en trois ans, dans sa « jeunesse noire », une œuvre fulgurante. Sa poésie, à la fois symboliste et parnassienne, aura modernisé comme en un éclair celle de son époque.

Sa vie était la poésie. Son destin en restera le symbole. Nelligan est certes le plus connu des poètes québécois. Quand il meurt en 1941, rivé à sa douleur et à ses rêves d'enfance, des classes entières d'écoliers défilent devant sa dépouille, déposant sur sa tombe des poèmes et des lettres. Nelligan est un mythe. Mais on a beau vouloir décrypter sa poésie de toutes les manières, elle reste vivante. Elle nourrit une génération après l'autre. Dans son roman *Le Nez qui voque*, Réjean Ducharme en fait le personnage de la jeunesse absolue. Nelligan a toujours vingt ans. Frère de Nervai et de Rimbaud, cet ange noir pour qui « la neige à neigé » reste l'incarnation du poète maudit, victime de son anti-conformisme absolu. On le reconnaît encore aujourd'hui comme en son poème vit « Un poète » :

*Laissez-le vivre ainsi sans lui faire de mal !*
*Laissez-le s'en aller ; c'est un rêveur qui passe ;*
*C'est une âme angélique ouverte sur l'espace,*
*Qui porte en elle un ciel de printemps auroral.*

## 1910
# Le terroir et l'exotisme

ALBERT FERLAND — JEAN CHARBONNEAU
ALBERT LOZEAU — LÉONISE VALOIS (ATALA)
PAUL MORIN — MARCEL DUGAS
GUY DELAHAYE — RENÉ CHOPIN — *LE NIGOG*

L'École littéraire de Montréal se divisera bientôt en deux tendances : les intimistes universalistes tels JEAN CHARBONNEAU et les terroiristes d'ALBERT FERLAND. Les deux groupes se retrouveront en 1911 pour faire revivre le mouvement dont la gloire aura été presque aussi éphémère que le passage de Nelligan.

Un autre poète de l'École littéraire de Montréal lui fera cependant l'honneur d'une œuvre importante. ALBERT LOZEAU (1878-1924), paraplégique à l'âge de quinze ans, deviendra le poète de la vie intérieure. Non seulement la solitude et l'attente, mais aussi la tendresse et l'amour de plusieurs amitiés féminines traversent sa poésie :

*INTIMITÉ*

*En attendant le jour où vous viendrez à moi,*
*Les regards pleins d'amour, de pudeur et de foi,*
*Je rêve à tous les mots futurs de votre bouche,*
*Qui sembleront un air de musique qui touche*
*Et dont je goûterai le charme à vos genoux...*

*Et ce rêve m'est cher comme un baiser de vous !*
*Votre beauté saura m'être indulgente et bonne,*
*Et vos lèvres auront le goût des fruits d'automne !*
*Par les longs soirs d'hiver, sous la lampe qui luit,*
*Douce, vous resterez près de moi, sans ennui,*
*Tandis que feuilletant les pages d'un vieux livre,*
*Dans les poètes morts je m'écouterai vivre ;*
*Ou que, songeant depuis des heures, revenu*
*D'un voyage lointain en pays inconnu,*
*Heureux, j'apercevrai sereine et chaste ivresse,*
*À mon côté veillant, la fidèle tendresse !*
*Et notre amour sera comme un beau jour de mai,*
*Calme, plein — de soleil, joyeux et parfumé !*
*(...)*

Pendant que les poètes masculins se cherchent une âme et un terroir, une femme en profite pour signer, sous le nom d'Atala, l'héroïne amérindienne de Chateaubriand, le premier recueil d'une femme poète au Québec : LÉONISE VALOIS (1868-1936) publie *Fleurs sauvages* en 1910. Fonctionnaire et journaliste, elle écrit une poésie de l'amour déçu.

Par ailleurs, la leçon de Nelligan a porté. D'autres poètes veulent se libérer du régionalisme, quitter la patrie pour la poésie et délaisser la morale pour l'art. Ce sont les « exotistes », qui tentent de remettre le Canada français au diapason du XX^e^ siècle. Ils ont le coup de foudre pour Paris. PAUL MORIN (1889-1963) et MARCEL DUGAS (1883-1947) fréquentent même le salon de la comtesse de Noailles. Leur poésie d'esthètes et d'artistes fait scandale dans une société de catholiques patriotards. Mais ils écrivent un chapitre important de l'histoire littéraire, comme l'explique Maurice Lemire : « À la littérature, gardienne des intérêts supérieurs de la race et de la nationalité, un groupe de jeunes poètes opposait la littérature ludique caractérisée par la liberté des sujets, par l'individualisme et par la fantaisie »[3].

PAUL MORIN publie en 1911, à Paris, *Paon d'émail* C'est le recueil d'un Parnasien esthète et virtuose qui cultive le dépaysement, invoque les dieux antiques et fréquente cette « profonde, amoureuse paix orientale » :

*TOKIO*

*La chaude ville de laque et d'or,*
*Comme une petite geisha lasse,*
*Au transparent clair de lune dort.*

*Un brûlant parfum d'opium, de mort,*
*De lotus, d'encens, passe et repasse ;*
*La claire nuit glace Hokaïdo*

*De bleus rayons d'étoiles et d'eau.*
*Ouvre la porte secrète et basse,*
*Verte maison de thé d'Hirudo...*

GUY DELAHAYE (1888-1969), qui anime à Montréal un cercle littéraire, Le Soc, publie, en 1912, *Mignonne allons voir si la rose... est sans épines*. Ce poète, qui est médecin et qui a soigné Nelligan à Saint-Jean-de-Dieu, écrit dans ce recueil une poésie déjà surréaliste.

RENÉ CHOPIN fait paraître en 1913 à Paris son recueil le *Cœur en exil*, où le poète, exilé en sa poésie d'inspiration nordique, s'inquiète de sa solitude et de l'indifférence de ses concitoyens :

*Les fiers Aventuriers, captifs de la banquise*
*En leurs tombeaux de glace à jamais exilés,*
*Avaient rêvé que leur gloire s'immortalise :*
*Le Pôle comme un Sphinx demeure inviolé.*

3. *Dictionnaire des œuvres littéraires du Québec*, Introduction au tome II. Montréal, Fides, 1980.

Pamphile Lemay

Léonise Valois

Medjé Vézina

Alfred Desrochers

Une semblable tristesse devant l'impossibilité de communiquer avec le peuple nourrit la prose poétique de Marcel Dugas dans son *Psyché au cinéma*, paru en 1916.

Ces œuvres sont en effet mal reçues et leurs parutions ne sont pas sans susciter des polémiques. On fustige cette « école de l'exil » en réaction contre les écrivains du terroir.

Mais pour les « exotistes » il s'agit de renouveler l'image de la France en s'attachant à son avant-garde : ils fondent en 1918 leur revue *LE NIGOG*. À la charrue du régionalisme ils opposent donc le nigog, ce harpon de pêche des Amérindiens. « *Le Nigog* nous délivra de l'ennui, eau froide dans son cadre gelée», écrira Robert de Roquebrune cinquante ans plus tard. Marcel Dugas, pour sa part, est plus précis dans ses souvenirs : « Le but du *Nigog* fut d'amener le public canadien à la connaissance de la production française contemporaine. »

La revue dure un an. Les rédacteurs vont vaquer à d'autres occupations. Certains sont allés vivre en France jusqu'à la prochaine guerre. Mais au moins, un poète comme Paul Morin aura prouvé à ses concitoyens qu'on peut faire de la bonne littérature sans s'inspirer du terroir. De plus, *Le Nigog* aura affirmé l'idée au Canada français qu'il était aussi important de posséder des artistes que des patriotes.

## 1920
# Modernité et lyrisme féminin

HÉLÈNE CHARBONNEAU — ALBERT DREUX
JEAN-AUBERT LORANGER — SIMONE ROUTIER
JOVETTE BERNIER — ÉVA SÉNÉCAL — MEDJÉ VÉZINA
CÉCILE CHABOT — ALFRED DESROCHERS
ROBERT CHOQUETTE — CLÉMENT MARCHAND

Dans cette société conformiste qui ressemble à un désert culturel, la poésie survit dans une sorte d'exil grâce à son courant exotique. Mais en même temps elle se manifeste et s'incarne dans le vécu grâce à la présence des femmes poètes qui inaugurent le thème de l'amour.

Un vent de modernité souffle dans la poésie du Québec de 1920 alors que sont publiés trois recueils importants : *Opales*, d'Hélène Charbonneau; *Le Mauvais Passant*, d'Albert Dreux ; *Les Atmosphères*, de Jean-Aubert Loranger. Ce dernier sera le plus mal reçu, avec ses poèmes en vers libres et dépouillés, morceaux de solitude sur les chemins de l'errance. ALBERT DREUX (1887-1949) lui aussi, dans un long poème en vers libres, exprime sa difficulté de vivre au milieu d'une société où l'on rêve au passé. Cependant, c'est LORANGER (1886-1942) qui scandalise le plus fort les gens de son temps. Sa poésie va vers le silence et le vide. Dans *Poëmes* (1922), il s'écrie :

*Pourquoi la plainte nostalgique,*
*Puisqu'à l'horizon le silence*
*A plus de poids que l'espace?*

Loranger se met à douter de la poésie. Il devient ainsi l'ancêtre d'Alain Grandbois et de Saint-Denys-Garneau.

HÉLÈNE CHARBONNEAU (1894-1964), dans *Opales*, abandonne elle aussi la versification classique pour le verset, dont elle maîtrise la forme. Plus près de Verlaine que d'Anna de Noailles, elle introduit dans sa poésie le « je » du vécu, sur le ton de la confidence où sa sensibilité féminine s'exprime librement. Poétesse de goût, elle n'est ni mièvre ni précieuse. Elle chante l'amour à travers ses sentiments et ses sensations. Comme l'a écrit Suzanne Paradis, son œuvre porte « le signe de la douleur et l'empreinte du vertige ». Dans ses textes, Hélène Charbonneau ne cherche pas à s'exiler, mais à découvrir ce qui la fait femme et artiste:

*La souffrance n'a pas corrigé mon âme.*

Le lyrisme féminin des années 1920 et 1930 se cantonnera dans le thème de l'amour, puisque les femmes à cette époque sont encore tenues loin des débats idéologiques et des luttes politiques. Cette situation ne les empêchera pas d'inaugurer ce thème de l'amour en poésie en y investissant leur passion, leur révolte et leur conscience d'une condition féminine souvent inacceptable. Ces femmes participent des deux mouvements d'une poésie régionaliste et exotique. Les œuvres intéressantes se révèlent chez celles qui ont exprimé une volonté de libération tant au niveau du langage que de la thématique.

Avec SIMONE ROUTIER (1901-1987) le désir amoureux se réfugie en poésie. Chez ALICE LEMIEUX (1906-1983) l'amour de vivre se confond dans l'union avec la nature. Mais pour JOVETTE BERNIER (1900-1982), la poésie continue la parole de la vie et s'inaugure déjà le ton de la modernité :

*J'ai bordé mon destin avec tes feuilles mortes,*
*Et sur elles, j'écris.*

De même, pour ÉVA SÉNÉCAL (née en 1905), l'amour n'est plus éternel. Il faut savoir qu'il déçoit autant qu'il exulte :

*Je célèbre l'amour, la gaîté qui ruisselle,*
*Mais tous mes blancs chemins conduisent à la mort,*

écrit-elle dans *La Course dans l'aurore*, son second recueil publié en 1929.

Parmi les poètes féminins de cette époque, c'est MEDJÉ VÉZINA (1896-1981) qui démontre le plus de liberté formelle, de fantaisie créatrice et de joie de vivre dans son recueil de 1934 : *Chaque heure a son visage* Chez elle, le cœur et le corps ne sont pas absents du désir amoureux évoqué. La volupté accompagne la passion et la révolte : « Plains-moi de n'être plus le bien dont tu disposes », écrit la féministe esseulée. Sa poésie s'incarne dans des vers parfois grandioses :

*Le monde est plus étroit que l'espace d'un rêve.*

Après elle, CÉCILE CHABOT (née en 1909) continue d'affirmer le plaisir d'aimer avec une sensualité très vive, dans *Vitrail*, en 1939. Sa poésie sera celle du vouloir-vivre à tout prix. Même après l'amour, même dans la douleur :

*Je serai de nouveau la femme au dur courage...*

À côté du lyrisme amoureux féminin, d'autres poètes renouvellent le souffle poétique des années 1930. ALFRED DESROCHERS (1901-1978) est le chef de file de ces derniers poètes de la prosodie traditionnelle. Le premier, Desrochers apporte le réalisme en poésie et y introduit le langage populaire. Il n'est pourtant pas rustre mais, au contraire, très cultivé. Desrochers connaît bien les poésies française, anglaise et américaine. Il cultive sa passion pour l'instrument traditionnel. Il prend la poésie comme une manière de chanter :

*Le sac au dos, vêtus d'un rouge mackinaw,*
*Le jarret musculeux étranglé dans la botte,*
*Les* chantymen *partants s'offrent une ribote*
*Avant d'aller passer l'hiver à Malvina.*

Son ami ROBERT CHOQUETTE (né en 1905), dans *Metropolitan Museum* publié en 1931, évoquera, plus loin que le régionalisme, le choc des cultures, dans un hymne à la civilisation américaine et à la vie moderne :

*La ville était en moi comme j'étais en elle .*

Plus jeune que Desrochers et Choquette, CLÉMENT MARCHAND, né en 1912, écrit entre 1930 et 1932 les premiers poèmes socialistes de la littérature québécoise : *Les Soirs rouges*, qui ont pour sujet la vie de l'homme québécois à la ville et prennent partie pour l'ancien paysan devenu ouvrier exploité par le capital. Les cris de révolte de cette poésie engagent déjà notre littérature dans une volonté de la maîtrise du destin québécois. Cette poésie prolétarienne témoigne aussi d'une époque où l'homme devait apprendre à vivre avec la machine :

*ô tous vos corps de lente usure*
*Mangés par tant de bénignes blessures,*
*Vos mains de servitude et vos visages laids*
*Sur qui rôde, hébétée, une exsangue luxure,*
*La teinte de vos chairs et le pli de vos traits*
*Et vos regards déshérités de l'aventure.*

## *Suggestions de lecture*

*Les fondations (1895-1937)*


NELLIGAN, Émile, *Poésies complètes 1896-1899*. Texte établi et annoté par Luc Lacoursière. Montréal, Fides, « Collection du Nénuphar », 1978.

MORIN, Paul, *Œuvres poétiques, Le Paon d'émail, Poèmes de Cendre et d'Or*. Texte établi et présenté par Jean-Paul Plante. Montréal, Fides, « Collection du Nénuphar », 1961.

LORANGER, Jean-Aubert, *Les Atmosphères* suivi de *Poémes*. Montréal, Hurtubise HMH, 1970.

VÉZINA, Medjé, *Le choix de Jacqueline Vézina dans l'œuvre de Medjé Vézina*. Charlesbourg, Presses Laurentiennes, 1984.

DESROCHERS, Alfred, *Œuvres poétiques 1. L'Offrande aux vierges folles. À l'ombre de l'Orford. Le Retour de Titus. Élégies pour l'épouse en-allée*. Texte présenté et annoté par Romain Légaré. Montréal, Fides, « Collection du Nénuphar », 1977.

CHOQUETTE, Robert, *Œuvres Poétiques 1. À travers les vents. Metropolitan Museum. Poésies nouvelles. Vers inédits*. Montréal, Fides, « Collection du Nénuphar », 1967.

MARCHAND, Clément, *Les Soirs rouges*. Préface de Claude Beausoleil. Montréal, Stanké, Collection « 10/10 », 1986.

# TROISIÈME PARTIE
# «L'ÂGE DE LA PAROLE»
# (1937-1968)

## 1937
## « Le chant du monde »

SAINT-DENYS-GARNEAU — RINA LASNIER
ANNE HÉBERT — ALAIN GRANDBOIS

L'aventure, elle sera assumée par Alain Grandbois (1900-1975), le précurseur de la poésie moderne, dont les premiers poèmes paraissent à Hankéou, en Chine, en 1934. Mais il faudra attendre la publication des *Îles de la nuit* en 1944 pour mesurer sa présence.

Entre-temps, un autre événement bouleverse la poésie d'ici: en 1937, SAINT-DENYS-GARNEAU[4] (1912-1943) publie *Regards et Jeux dans l'espace*, dans lequel des poèmes à forme libérée témoignent d'une quête de l'absolu :

*Je marche à côté d'une joie*
*D'une joie qui n'est pas à moi*
*D'une joie à moi que je ne puis pas prendre*

---

4. Nous choisissons d'orthographier ainsi le nom du poète afin de respecter le nom d'auteur qu'il s'est donné dès la publication de *Regards et Jeux dans l'espace* en 1937. D'ailleurs, ses amis les plus proches, Robert Élie, Claude Hurtubise et Jean Le Moyne, ont toujours respecté cette signature de Saint-Denys-Garneau dans l'édition de ses œuvres posthumes (*Poésies complètes*, Fides, 1949; *Journal*, Beauchemin, 1954; *Lettres à ses amis*, Hurtubise HMH, 1967) «Ils ont été fidèles à la volonté de l'auteur»,

Le recueil est plus ou moins mal reçu par une société retardataire et le poète finit par le retirer du marché, mais il est déjà devenu l'idole d'une génération d'intellectuels et de poètes informés comme lui des esthétiques modernes.

Saint-Denys-Garneau est un artiste. Peintre, il écrit aussi des articles sur l'art. Poète, il publie ses premières œuvres dans *La Relève*. En 1934, il écrit à son ami Jean Le Moyne son désir de se réaliser et d'être « un de ceux qui *agissent vers* la beauté. » Il s'enracine dans l'univers de la poésie. Son œuvre contribuera à la mort du lyrisme académique. On comprend enfin avec lui qu'une entente unit la poésie et la vie. Mais la poésie ne sauve pas l'homme de la mort ni de l'angoisse métaphysique. Saint-Denys-Garneau meurt en 1943 à l'âge de trente et un ans. Ses amis en font le martyr de sa société, mais le poète n'a-t-il pas été d'abord victime de son propre échec ? L'exigence de la poésie l'aura entraîné dans un drame spirituel où il est mort étouffé d'absolu. Aujourd'hui, on commence à dissocier son destin de l'œuvre du poète. Son chemin vers le silence, il l'a exprimé dans son *Journal*. Tandis que sa poésie,

---

nous a confirmé M. Paul Beaulieu, cofondateur de *La Relève*. Les commentateurs qui placent les œuvres du poète sous le patronyme Garneau en tenant compte de ses prénoms (Hector, de Saint-Denys, ou St-Denys) ont confondu sa signature personnelle, où il utilisait ses prénoms, et sa signature d'écrivain, dont les trois termes sont reliés par un trait d'union. Il faut signaler enfin qu'à la Bibliothèque nationale du Québec le nom qui fait autorité au fichier reste fidèle à la signature que s'est donnée le poète pour l'œuvre qu'il publia de son vivant. Il convient donc d'adopter une fois pour toutes l'orthographe Saint-Denys-Garneau.

dans ses jeux formels et ses regards existentiels, se situe à la source de la modernité québécoise.

Si l'homme n'a pu maîtriser son destin spirituel, le poète a libéré le langage et l'a ouvert aux possibles de la poésie. Avec lui le Québec, coupé d'ailleurs de la France par la guerre de 1939-1945, sort du passé pour entrer dans son présent. Après lui la poésie change de voix: Alain Grandbois, Anne Hébert, Rina Lasnier font apparaître la modernité, comme l'explique Jacques Blais: « Le poète se familiarise avec le monde dont il est, il communique la vision chaleureuse d'un univers habitable, où s'harmonisent spirituel et matériel. Des tempéraments poétiques autonomes surgissent, et entonnent, chacun à leur manière, le chant du monde[5]. »

La quête spirituelle de RINA LASNIER (née en 1915) nous donne depuis 1939 une poésie d'inspiration biblique puis religieuse, où le poète finit par se retrouver aux prises avec les limites du langage. Cette poésie passe donc d'une sorte de sérénité spirituelle à l'angoisse de la solitude. « Consciemment ou non, écrit Éva Kushner, Rina Lasnier se donne pour hypothèse la sérénité. Cela ne signifie point absence ou incapacité d'angoisse, mais possibilité d'une victoire finale sur l'angoisse. »

Cette victoire, la poésie n'en est que le chemin difficile, de la naissance à la mort : « veille la parole séquestrée dans l'éclair ». La vraie victoire est au-delà : «L'oiseau mort rend à Dieu sa parabole », écrit-elle dans *L'Arbre blanc*.

---

5. *De l'ordre et de l'aventure, la poésie au Québec de 1934 à 1944*, Québec, Presses de l'Université Laval, 1974, p. 18.

« Poésie, solitude rompue », écrira de son côté ANNE HÉBERT (née en 1916), pour qui la poésie travaille avec les forces de la vie. Parole qui agit, partagée dans le concret, elle devient noces avec le monde. Dans *Les Songes en équilibre* (1942), puis dans *Le Tombeau des Rois* (1953) et dans *Le Mystère de la parole* (1960), la cousine de Saint-Denys-Garneau a élaboré une œuvre dont on n'a pas encore découvert tous les secrets. Après la destruction des images de l'enfance, c'est de la mort d'un passé ravageur que renaîtra le poète à la réalité, dans le mystère de la commune parole :

> *Notre pays est à l'âge des premiers jours du monde. La vie ici est à découvrir et à nommer; ce visage obscur que nous avons, ce cœur silencieux qui est le nôtre, tous ces paysages d'avant l'homme, qui attendent d'être habités et possédés par nous, et cette parole confuse qui s'ébauche dans la nuit, tout cela s'appelle le jour et la lumière.*

Ces noces avec le monde seront célébrées d'abord par ALAIN GRANDBOIS, dont l'ancêtre Louis Jolliet a été le découvreur du grand fleuve Mississipi. Voyageur heureux, Alain Grandbois passe par l'Europe avant de publier ses premiers poèmes en Chine en 1934. Ce sera donc dix ans plus tard qu'il publiera ici *Les Îles de la nuit*, un grand livre où se ressourcera la poésie québécoise.

Dans un lyrisme non plus rugueux comme celui de Saint-Denys-Garneau, mais véritablement somptueux, Alain Grandbois se révèle essentiellement un poète de l'amour contre la mort. Poète de la présence, il prolonge l'étreinte des amants dans un langage cosmique. On a parlé de son « romantisme ». En fait, Grandbois est celui qui introduit le sentiment dans une sorte de surréalisme de la nature :

Saint-Denys-Garneau

Rina Lasnier

Alain Grandbois

Alphonse Piché

*Nous sommes debout*
*Debout et nus et droits*
*Coulant à pic tous les deux*
*Aux profondeurs marines*
*Sa longue chevelure flottant*
*Au-dessus de nos têtes*
. . . . . . . . . . . . . . . . . . . . . .

*Nous plongeons à la mort du monde*
*Nous plongeons à la naissance du monde*

## 1946
# Deux poètes «de la nature»

FÉLIX LECLERC — ALPHONSE PICHÉ

Deux poètes de la Mauricie, solitaires et autodidactes, vont incarner le lien entre la culture populaire et la culture savante. Ils publieront tous les deux au milieu des années 1940 leurs premiers ouvrages, fondant des œuvres différemment originales et qui prendront une place importante dans l'histoire de la poésie québécoise. Félix Leclerc, à la manière des grands fabulistes, s'attachera à la nature comme métaphore de l'humain. Alphonse Piché, à la manière d'un François Villon, y trouvera une réflexion métaphysique. Tous les deux se montreront solidaires des petites gens, au lendemain de la crise économique et de la guerre.

FÉLIX LECLERC (1914-1988) est en quelque sorte le dernier poète de la vie rurale. Il se fait connaître au Québec, d'abord par ses textes radiophoniques et son théâtre, dans les années 1940. Mais c'est à Paris en 1950 que le premier troubadour de la chanson de langue française moderne est consacré vedette. Par ses livres touchant à divers genres (poésie et théâtre, récit et roman) et qui se vendront à plus d'un million d'exemplaires en quarante ans, ainsi que par son engagement en faveur de l'indépendance du Québec, Félix Leclerc deviendra certes la plus importante figure culturelle du

Québec moderne, à côté de la figure politique qu'aura été René Lévesque (1922-1987).

La poésie de Félix Leclerc s'écrit surtout en prose et se rapproche du conte et de la fable. Dès son premier livre, *Andante*, en 1944, le poète cherche où s'accordent les saisons de l'homme à celles de la nature. Puis, avec *Pieds nus dans l'aube*, il poursuivra la quête de la sagesse à travers la narration de son propre cheminement. On peut dire que, par la suite, l'œuvre de Félix Leclerc devient exemplaire et maintient sa popularité parce qu'elle raconte une sorte d'autobiographie nationale, dans ses grandeurs et ses misères, dans la simplicité et le dépouillement d'une réflexion qui s'écrira de façon de plus en plus directe et qui préférera parfois l'aphorisme à la fable.

Quand il manie le vers, c'est le plus souvent pour mettre le poème en chanson. Ainsi son poème « Mouillures », écrit dès 1946 :

*Quand ils auront franchi ce terrible désert*
*Et que les mains tendues ils atteindront la mer*
*Une traînante barque les rejoindra bientôt*
*On les acceptera avec leurs misères*
*Ils cacheront leur corps sous un même manteau*
*Pareils à deux lierres à jamais enlacés*
*Qui mêlent leurs amours leurs bras leur chevelure*
*Ainsi nous glisserons à travers les mouillures*
*Bus par l'éternité, bus par l'éternité.*

Loin de la prose, ALPHONSE PICHÉ (né en 1927) deviendra un des plus habiles artisans du vers de notre époque. Son premier recueil, publié en 1946, s'intitule *Ballades de la petite extrace*. On y reconnaît tout de suite un fils de François Villon et un poète soucieux d'exprimer dans les formes les plus connues de la langue française l'âme inconnue du petit peuple québécois.

Pourtant, Piché ne cherche pas à se mêler à la foule. Il est une sorte de navigateur solitaire, poète baroque et néo-classique à la fois, qui médite devant le miroir des « voies d'eau », sur les richesses de l'âme humaine. Cet autodidacte choisira comme amis des écrivains et des poètes, telle Rina Lasnier, avec qui il entretiendra une importante correspondance.

Son œuvre est d'abord celle d'un virtuose qui adapte les formes classiques aux réalités de ses contemporains. En ce sens, Alphonse Piché est un prédécesseur de Gilles Vigneault. Il instaure aussi en poésie un humour personnel :

> *Né comme tous, de parents bien ;*
> *Il fit du temps au séminaire*
> *Dut relâcher pour moins que rien...*
> *Commit des vers qu'ont l'air de plaire ;*
> *Ainsi que moult millionnaires*
> *Perdit sa vie à la gagner ;*
> *Comme souris en souricière*
> *Dont le nom rime avec psyché.*

La poésie de Piché évoluera vers des formes plus libres et s'exprimera sur un ton lyrique tout à fait personnel à partir des années 1980, avec ses recueils *Dernier Profil* et *Sursis*.

# 1948
# Une révolution : le surréalisme

*Prismes d'Yeux* — *Refus global*
Claude Haeffely — Thérèse Renaud
Claude Gauvreau — Paul-Marie Lapointe
Gilles Hénault — Roland Giguère

Rentré d'Europe en 1940, le peintre Alfred Pellan avait connu le surréalisme, qu'il fera découvrir à Paul-Émile Borduas. Ce dernier deviendra l'animateur du mouvement des Automatistes, aboutissant au manifeste *Refus global* en 1948 et donnant le signal d'une véritable révolution culturelle.

Les poètes des années 1930, Delahaye, Dugas, Loranger, avaient eu connaissance du cubisme et du futurisme. Saint-Denys-Garneau avait lu Éluard. Mais à partir de 1940, ce sont les peintres qui rapprochent les poètes du surréalisme. Cela se passera à Montréal, tandis qu'à Québec artistes et poètes résisteront au renouveau.

À Montréal, Pellan enseigne à l'École des beaux-arts, Borduas à l'École du meuble et Albert Dumouchel à l'École des arts graphiques. Autour de ces trois foyers se regroupent des artistes, puis des poètes. La révolution des langages — plastique surtout, et poétique ensuite — fait sauter les barrières d'une société québécoise jusque-là étouffée par la complicité des pouvoirs cléricaux et politiques.

Le manifeste *Prisme d'Yeux* du groupe de Pellan, écrit par Jacques de Tonnancour, affirme le parti pris esthétique du surréalisme. Six mois plus tard, le manifeste *Refus global* de Borduas et des Automatistes non seulement fait appel à la magie de la création, mais aussi revendique la nécessité d'une véritable révolution sociale au Québec :

> *Place à la magie ! Place aux mystères objectifs !*
> *Place à l'amour !*
> *Place aux nécessités !*
> *Au refus global nous opposons la responsabilité*
> *entière.*

Le manifeste fait scandale. Borduas est renvoyé de l'École du meuble. Les expositions des Automatistes soulèvent des polémiques interminables. Le Québec change.

Au sein de ce mouvement de révolte et de création des peintres, s'inscrivent les voix isolées de quelques poètes : Pierre Carl Dubuc, Rémi-Paul Forgues, Suzanne Meloche, Jean-Paul Martino et, plus tard, CLAUDE HAEFFELY (né en France en 1927, il s'installe au Québec en 1962), dont l'œuvre, fidèle au surréalisme, se nourrit d'érotisme et voyage entre le rire et le rêve :

> *Entre les rires et la parole*
> *toujours dressés aux meurtrières*
> *je dévore cette nuit verticale*
> *nuit cognant aux portes*
> *de nos désirs informulés.*

Mais c'est THÉRÈSE RENAUD (née en 1927) qui, la première, écrira une poésie dite « automatiste » au Québec : elle fera paraître en 1946 *Les Sables du rêve*, un recueil illustré par Jean-Paul Mousseau et dont l'effet de dépaysement est réussi :

*Entre la peau et l'ongle d'un géant j'ai bâti*
*ma maison.*
*Mon mari est petit et noir. Il aime les serpents et sur sa nuque pour des cheveux poussent les crins d'un cheval.*
*Un jour il entre en tenant ses yeux dans ses narines :*
*« Bonjour mon arbuste chéri.»*
*Nous sommes allés à la rivière rincer notre linge*
*et teindre nos cheveux.*

Le surréalisme selon André Breton et l'Automatisme selon Borduas font naître des œuvres qui compteront, dans les années 1950, parmi les plus importantes de la poésie québécoise : celles de Claude Gauvreau et de Paul-Marie Lapointe, celles de Gilles Hénault et de Roland Giguère. Avec eux la poésie devient tour à tour imagination pure et « sœur du jazz », révolte sociale et paysage intérieur.

CLAUDE GAUVREAU (1925-1971), lié très tôt au groupe des peintres automatistes dont fait partie son frère Pierre, restera le plus fidèle animateur du mouvement initié par Borduas. Trois des objets dramatiques qu'il a écrits sous le titre *Les Entrailles* accompagnent même le manifeste *Refus global*. Sa poésie, automatiste et abstraite, ou follement surréaliste, inventera le langage « exploréen », poussant à bout l'imagination des mots :

*Soleil tartare, lunette de cône satiné, bavure*
*lumineuse, charroyez mes rotules épinglées !*
*désarticulez mes forêts fontenellentes! bébrussez*
*mes sandwiches mennoides !*

*Le vertige des pattes mallaxeudes, curetées dans*
*les lamas du neptune, brise mes os et décolore*

*mes détrempes fulmigentes !*
*Bohec de barbare !*

PAUL-MARIE LAPOINTE (né en 1929), loin des Automatistes, écrit en 1947 *Le Vierge incendié*, que Gauvreau fait publier à l'enseigne de Mythra-Mythe, l'éditeur de *Refus global*. Les Automatistes ont reconnu la parenté du texte : sur l'autel de l'amour renaît l'homme. Ce poète de vingt ans deviendra avec *Arbres* (1960) et *Pour les âmes* (1965) une des plus hautes voix de la poésie québécoise. Son art est l'improvisation, dira Lapointe en 1962 pour définir sa poésie comme « une nouvelle forme du lyrisme, une forme nord-américaine, sœur du jazz, avec ce que cela implique d'emprunts aux vieilles cultures » :

*nul amour n'a la terre qu'il embrasse*
*et ses fleuves le fuient*

*colère*
*diluvienne métamorphose*
*tes blessés reposent en délire*
*tes paroles sont vides et les jours se répètent*

*la mise à mort est parée de dentelles*
*et le sang gicle dans la foule*
*maternités futiles*
. . . . . . . . . . . . . . . . . .

GILLES HÉNAULT (né en 1920), lui, prend une part active au mouvement et fréquente tous les groupes littéraires et artistiques de son époque. Il fait de la poésie, mais aussi de l'action syndicale. Il est ensuite journaliste et critique d'art, avant de devenir à la fin des années 1960 directeur du Musée d'Art contemporain. Sa poésie, d'un surréalisme aussi vigoureux que chantant, prend parti pour la révolution sociale et a recours aux mythes amérindiens. Hénault fonde d'ailleurs en 1946 avec Éloi de Grandmont *Les Cahiers de la file indienne*, où sont publiés plusieurs poètes surréalistes. Hénault poursuivra, avec *Sémaphore* suivi de *Voyage au pays de mémoire* (1962) une œuvre débordante de générosité :

> *La poésie coule dans la plaine où s'abreuvent les peuples.*

On retrouve, en fait, dans la poésie de Gilles Hénault les principaux thèmes fondateurs de la poésie québécoise moderne : le temps primordial, la liberté d'aimer, la fraternité et la figure de l'Amérindien :

> *Peaux-Rouges*
> *Peuplades disparues*
> *dans la conflagration de l'eau-de-feu et des*
> *tuberculoses*
> *Traquées par la pâleur de la mort et des*
> *Visages-Pâles*
> *Emportant vos rêves de mânes et de manitou*
> *Vos rêves éclatés au feu des arquebuses*
> *Vous nous avez légué vos espoirs totémiques*
> *Et notre ciel a maintenant la couleur*
> *des fumées de vos calumets de paix.*

Pendant que les peintres refaisaient le paysage, ROLAND GIGUÈRE (né en 1929), lui, commençait à dessiner dans les marges de ses poèmes. L'élève d'Albert Dumouchel à l'École des Arts graphiques fonde les éditions Erta où se rejoindront peintres et poètes, selon la tradition surréaliste :

> *et pour continuer à vivre*
> *dans nos solitaires et silencieuses cellules*
> *nous commencions d'inventer un monde*
> *avec les formes et les couleurs*
> *que nous lui avions rêvées.*

« Ces quelques vers, dit Giguère, définissent assez bien le climat des années 1950 ». Peintre et poète — « la main droite pour dessiner, la main gauche pour aimer » — Roland Giguère participe au mouvement Phases relié aux surréalistes d'André Breton. Aujourd'hui, le lauréat du prix Borduas 1982 incarne parfaitement l'artiste surréaliste dans la fidélité « révolutionnaire » de son œuvre plastique et poétique. Il a réuni ses poèmes dans *L'Âge de la parole* et *La Main au feu*. « Je peins pour parler comme j'écris pour voir », dit Giguère dans son plus récent ouvrage, *Forêt vierge folle*, où le poète-peintre retrace le parcours d'une œuvre qui a conquis sa maturité :

.................................
*j'erre parmi mes amis les meilleurs*
*que pourtant je tiens pour vigies*
*mais j'erre*
*j'erre toujours entre vos dires*
*j'erre pour ne pas mourir.*

## 1953
# Une poésie nationale

La fondation de l'Hexagone
Gaston Miron — Olivier Marchand — Luc Perrier
Jean-Paul Filion — Michel van Schendel
Jean-Guy Pilon — Pierre Perrault
Fernand Ouellette — Michèle Drouin
Françoise Bujold — Cécile Cloutier
Gilles Vigneault — Maurice Beaulieu

Les poètes sont cependant isolés et peu connus encore, au début des années cinquante. Les foyers d'animation restent rares et modestes. C'est sous l'impulsion des Éditions de l'Hexagone en 1953 que sera fondée véritablement ce qu'on pourra appeler la poésie québécoise, haut lieu d'une littérature nationale qui trouvera bientôt des lecteurs un peu partout dans le monde.

D'abord nées de la volonté de six personnes, les éditions de l'Hexagone ont vite rassemblé les forces vives et des voix diverses pour devenir un lieu de rencontre, fondateur d'une action commune « dans les mille contraires de la poésie ». Ni école esthétique ni mouvement idéologique, ce lieu d'édition se veut catalyseur et carrefour : il y règne un esprit qui réside dans une conception historique et globale de la littérature. On veut fonder une littérature nationale complète et diversifiée. On veut identifier les sources et se reconnaître une généalogie (Loranger, Grandbois, Desrochers...). À travers l'acte éditorial, on prend conscience du phénomène littéraire.

Gaston Miron, principal animateur de l'Hexagone, situera, vingt-cinq ans plus tard, la volonté éditoriale du groupe fondateur des jeunes écrivains de 1953 : « Ils voulaient par ce geste, dans une société alors indépendante et figée, prendre et libérer la parole en exprimant leur point de vue, rompre avec la littérature passéiste et de survie, écrire et publier des œuvres modernes qui manifestent la nouvelle sensibilité et leur vision des choses, enfin élever la littérature de leur pays, le Québec, au rang des littératures nationales et ainsi accéder à l'universalité ».

Avec l'Hexagone, le jeune poète québécois ne se sent plus aliéné dans sa solitude ou en quelque exil, mais il devient confiant et conscient de son rôle social. Son langage nomme et invente une réalité. Le critique Gilles Marcotte pourra écrire : « Les grands poètes de la génération précédente, tels Alain Grandbois, et Rina Lasnier, ceux qui avaient fait franchir à la poésie canadienne-française le cap de la modernité, étaient des isolés, notamment sur le plan de l'édition. Les animateurs et poètes de l'Hexagone, par les conditions matérielles qu'ils donnent à leur action, veulent rompre cette solitude de la poésie ; ils entendent agir par la poésie [6]. »

Des voix se rassemblent pour réinventer l'espace et le territoire d'un pays à nommer. Une poésie s'élabore dans la reconnaissance des visages et des paysages. OLIVIER MARCHAND et GASTON MIRON publient le

---

6. *Le temps des poètes, description critique de la poésie actuelle au Canada français*. Montréal, HMH Hurtubise, 1974, p. 19.

premier recueil en 1953 : *Deux sangs*. Puis apparaissent des poètes de la tendresse et de l'appartenance : LUC PERRIER, JEAN-PAUL FILION, JEAN-GUY PILON et MICHEL VAN SCHENDEL. D'autres questionnent le quotidien ou la réalité urbaine, tels Claude Fournier et Gilles Constantineau. D'autres encore abordent l'intime, au cœur des êtres et des choses, dans une poésie de sensualité ou de rêve : Louise Pouliot, Alain Marceau ou Andrée Chaurette. Des poètes comme Rina Lasnier, puis Fernand Ouellette et Fernand Dumont poursuivent en poésie leur aventure spirituelle.

Par le cri d'abord, puis dans un chant plus discret, on reconnaît les éléments du paysage : le sang, le feu, l'arbre. Une poésie tellurique et cardinale — d'abord impuissante chez Yves Préfontaine, ensuite conquérante chez Pierre Perrault — inaugure les saisons, embrasse les espaces. En même temps que le paysage on découvre les sources du langage.

Chez tous ces poètes enfin, la plainte cède le pas à la tendresse et la nostalgie s'oublie pour la conscience d'un destin. « Leur poésie, écrit encore Gilles Marcotte, a en quelque sorte une patrie : une terre, une lumière, un climat, son climat comme ses illuminations et son quotidien. Elle définit sa liaison organique avec le monde. Elle est différente et conséquente, unique ; elle assume et nous assume. »

L'œuvre de JEAN-GUY PILON (né en 1930), fraternelle et amoureuse, transparente et essentialiste, résume et domine les courants de cet âge d'une poésie inaugurale, à la recherche d'un bonheur et d'un pays :

*Les fleuves s'offrent à ton corps sans but*
*Comme les pièges à la dérive du soir*
*Mais n'entends-tu pas le cri des bêtes*
*Qui bâtissent patiemment leur demeure*

Félix Leclerc

Gilles Hénault

Roland Giguère

Jean-Guy Pilon

Poète, Jean-Guy Pilon deviendra, avec Gaston Miron, un animateur essentiel de la littérature québécoise en fondant en 1959 la revue *Liberté* qu'il dirigera jusqu'en 1979, en organisant depuis 1972 la Rencontre québécoise internationale des écrivains, de même qu'en mettant sur pied le Service des émissions culturelles de Radio-Canada au profit des écrivains.

De son côté, PIERRE PERRAULT (né en 1927), au cinéma comme en poésie, investit cet « âge de la parole » en empruntant son chant aux anciens et aux humbles, gens de Charlevoix, d'Abitibi et d'ailleurs. Il se met à l'écoute des sources vives de la parole dans une poésie à hauteur d'homme, qui sourd du paysage même et non de quelque mémoire littéraire. Il part donc, à la suite de Jacques Cartier, à la conquête d'un espace, à la recherche de « toutes isles » sur le chemin du Saint-Laurent, ce fleuve où voyagent des dauphins et des oiseaux, des enfants et des bêtes, des chasseurs et des pêcheurs, des nomades et des pionniers :

> *Nous sommes celui qui hésite devant ce seuil insupportable où se perdent les rivières du poème!*

La poésie de Pierre Perrault explore le territoire de l'homme québécois avec la force d'un chant primordial dans *Chouennes*, puis dans *Gélivures* où les mots arrachés à l'écorce du froid maîtrisent enfin le sens du paysage :

> *et dans le paysage saigné à blanc*
> *je donne aux choses et à toutes gens*
> *droit de jambage*
> *droit de parole*
> *droit de vie et de mort sur le rêve*
> *assigné par les tambours fomenteurs de neige*

De son côté, FERNAND OUELLETTE (né en 1930) est en quête des lumières de l'être et du monde à travers le corps érotique et cosmique, principalement avec son recueil *Dans le sombre* (1967), qui le rattache à la tradition des troubadours et des mystiques. Cet « érotisme » de la fulgurance, fondé sur l'image de la femme idéale, a cependant vite été dépassé par la poésie post-féministe.

Il reste que la poésie de Ouellette, au fil des recueils, s'est mise en relation avec d'autres œuvres — littéraires, musicales ou picturales — et s'est nourrie à celles de Jean de la Croix, Trakl ou Pierre Jean Jouve, par exemple, à qui elle rend hommage. La poésie de Fernand Ouellette constitue finalement un éloge de la culture occidentale.

Parmi les premiers recueils de Ouellette, *Séquences de l'aile* (1958) reste celui dont la modernité des « radiographies » nous parle encore aujourd'hui :

*Ange! Ange on te songe dans la forte invasion de*
*l'air sur la mort,*
*À l'échelle des continents que lent gravit le vent*
*jusqu'au gîte de miel ;*
*Car l'atterrissage d'un ciel à nos lèvres se prépare.*
*Et sur terre, par un air de guitare, nos artères*
*prolongent les gratte-ciel,*
*Nos alphabets mûrissent sur des toits qui montent.*
. . . . . . . . . . . . . . . . . . . . . . . . . . . . . . . . . . . . . . .

L'homme québécois, c'est GASTON MIRON (né en 1928) qui l'incarne dans son action et sa poésie.

« Miron le magnifique », tel qu'en lui-même l'a décrit Jacques Brault : « Cet homme répandu comme une légende, animateur et agitateur de première force, dont le visage se confond presque avec notre société, lui qui semble afficher tout son être sur la place publique, cet homme pourtant a ses replis et, comme chacun, ses contradictions qui le rendent inaccessible à lui-même. Lancé très tôt dans l'action, et la plus difficile, la politique, il écrit et à l'occasion publie des poèmes, mais surtout il parle, il gesticule, il se disperse aux quatre vents de la camaraderie, en des versions si nombreuses qu'on a finalement peine à dire qui il est[7]. »

« Un pitre d'étincelles et de lésions profondes », répond le poète, qui a voulu faire coïncider son destin personnel avec le destin collectif d'un peuple.

Il a bien dit, un jour: « J'ai engagé ma propre écriture dans la libération du peuple québécois. Mon travail textuel est de l'anthro-poème. Je me suis pris moi-même pour cobaye. M'identifiant au grand nombre, vivant sa situation et sa condition, allant jusqu'à m'identifier à l'aliénation collective et projetant mon drame personnel dans le drame collectif, étendant celui-ci aux dimensions du monde. »

Amoureux, poète et militant, Miron est un homme « hors de lui ». Il ne s'appartient pas, mais il assume son combat. Il fait l'apprentissage de l'humiliation, de la pauvreté, mais aussi de la littérature. « Tous les pays qui n'ont pas de légende sont condamnés à mourir de froid » : ces lignes de Patrice de la Tour du Pin que Miron découvre en 1949 le conduisent à la poésie, à sa poésie et à la nôtre. Désormais le poète en lui n'a de cesse de réconcilier l'amoureux et le militant.

L'homme prend parti pour la cause nationale. L'animateur lance dans la bataille « le poids de la création » en participant aux fondations de l'Hexagone puis des revues *Parti Pris* et *Possibles*.

---

7. *« Miron le magnifique »* dans *Chemin faisant*, Montréal, éditions La Presse, 1975, p. 21.

Le poète disperse ses écrits dans les journaux et revues durant quinze ans avant de réunir son œuvre sous le titre de *L'Homme rapaillé* en 1970.

Sa poésie est traduite en plusieurs langues. En 1981, *L'Homme rapaillé*, édité en France chez Maspero, lui vaut le prix Apollinaire. Il est aussi traduit et publié en italien. Miron est certes le plus connu des poètes québécois. Non seulement a-t-il animé la poésie d'ici et formé tant de jeunes poètes, mais aussi s'est-il fait connaître et aimer des autres poètes du monde. André Frénaud, le grand poète français et son ami, parlera de « l'orpailleur Miron ». Gilbert Langevin, lui, poète québécois plus jeune, retrace le portrait de Miron en deux vers : « un ouragan de sanglots / puis l'accalmie des rires ».

Ce Miron-là est un « homme agonique », humilié, dépossédé de son héritage, mais il «avance en poésie» au nom de « l'obscure respiration commune ». Poète et militant, il est déchiré d'espérance :

*Mes camarades au long cours de ma jeunesse*
*si je fus le haut lieu de mon poème maintenant*
*je suis sur la place publique avec les miens*
*et mon poème a pris le mors obscur de nos combats*

Quand, en 1978, il accepte le prix Duvernay, c'est « pour avoir bâti une œuvre avec les mots de mes héritages et pour que nous ayons un nom et un visage dans le monde [8] ». À l'occasion d'une entrevue au journal *Le Monde*, le 8 mai 1981, il précise encore : « Je vois la poésie comme une anthropologie, comme une défense et illustration d'un être collectif. La poésie est ce qui

---

8. ROYER, Jean, « *Gaston Miron l'identité* » dans *Écrivains contemporains, entretiens : 1976-1979*. Montréal, l'Hexagone, 1982, p. 102.

nous fait être et nous pose dans la durée alors que l'existence se dissout dans le temps. »

Certes, Gaston Miron a été « l'accoucheur de la poésie québécoise », tel que l'a décrit il y a quelques années le poète Michel Beaulieu [9]. Son œuvre même se révèle comme une source vive, fondatrice d'une poésie nationale en même temps qu'initiatique et conduisant aux autres fleuves de la poésie dans la patrie des hommes.

Mais surtout n'oublions pas le poète, l'homme tel qu'il se donne. Car le combat du poète est d'abord celui de sa « marche à l'amour ». Ce Miron-là, il faut l'écouter:

*je n'ai plus de visage pour l'amour*
*je n'ai plus de visage pour rien de rien*
*parfois je m'assois par pitié de moi*
*j'ouvre mes bras à la croix des sommeils*
*mon corps est un dernier réseau de tics amoureux*
*avec à mes doigts les ficelles des souvenirs perdus*
*je n'attends pas à demain je t'attends*
*je n'attends pas la fin du monde je t'attends*
*dégagé de la fausse auréole de ma vie*

Les poètes se font maintenant de plus en plus nombreux, non seulement à l'Hexagone mais autour, en d'autres lieux, durant les années 1950-1960, alors qu'il se publie d'ailleurs plus de poésie que de roman. La poésie se reconnaît divers visages. Chez Orphée avec André Goulet. Aux éditions de l'Arc à Québec avec Gilles Vigneault en 1959. Puis, à partir de 1963, aux éditions du Jour de Jacques Hébert, à la librairie Déom avec Guy Robert et à la revue *Parti Pris*, où l'on mani-

9. Revue *Forces*, nº 39, p. 50.

feste pour une littérature qui passe de «canadienne-française» à « québécoise ».

Mais en attendant, à la fin des années 1950, se font entendre des voix discrètes et singulières. Ce sont des voix de femmes qu'on oublie trop souvent dans l'histoire littéraire de cette époque : Élaine Audet, Françoise Bujold, Kline Sainte-Marie, Diane Pelletier-Spiecker et Michèle Drouin. Citons deux d'entre elles, peintres en même temps que poètes, chez qui le thème de l'amour prend des chemins opposés.

MICHÈLE DROUIN (née en 1933), dans son « son manteau de nomade », se fait provocatrice avec les poèmes tantôt réalistes tantôt surréalistes de *La Duègne accroupie*, où la femme investit ses pouvoirs érotiques :

> *Un chariot peut traverser en trombe le fragile*
> *amas de l'amour*
> *j'ai jeté un pont sur le silence de la douve*
> *je roule des désirs massifs sous la conduite*
> *de ma langue*
> *j'ai cet air qu'a la parole quand elle revient*
> *de loin*

Pour FRANÇOISE BUJOLD (1933-1981), la parole vient de l'enfance où elle aurait dû rester. Dans les poèmes de *La Fille unique*, combat cette fois un amour déçu et coupable d'avoir tué l'enfance :

> *J'ai un enfant caché dans les bois*
> *Qui cuit pendant la nuit*
> *La gelée de notre bruit*
> *La confiture du clapotis de nos rivières*
> *de nos lierres*
> *J'ai un enfant caché dans les bois*
> *Fait de promesses de coquillages malheureux*
> *À nos herbes bleues*
> ........................................

À Québec, la fondation des éditions de l'Arc révèle, entre autres, deux poètes dont les œuvres atteindront bientôt leur maturité. Cécile Cloutier (née en 1930), dans *Mains de sable*, écrit déjà une poésie lapidaire et sensuelle où le geste humain se cristallise dans des images lumineuses. Ainsi ce poème intitulé « La Femme » :

*Dans une catastrophe*
*De cire*
*Une abeille*
*Enceinte de miel*
*Se tait*

*Demain*
*Une civilisation d'ailes*
*Au soleil*

Gilles Vigneault (né en 1928), lui, deviendra bientôt le grand barde québécois avec ses chansons qui popularisent le thème du pays tel qu'élaboré dans les recueils des poètes de l'Hexagone. Comme poète, cependant, Vigneault conservera un langage volontairement vieillot, d'une subtilité précieuse, pour exprimer la présence de l'humain au cœur des paysages et des saisons. « Nous sommes encore atterrés / De mettre les mots hors du corps », écrit-il. Ce troubadour de l'âme moderne écrit une poésie de la tendresse et de l'inquiétude métaphysique :

*Le travail de ne point mourir*
*À perte de vue et de peine*
*Occupe l'heure et la semaine*
*Et retient le cœur de mourir*

*L'horizon s'essaie et s'efface*
*Au beau milieu de ce non lieu*

*Où voyage silencieux*
*Le Temps qui passe pour l'Espace*
. . . . . . . . . . . . . . . . . . . . . . . . . . . . . .

Un autre poète, injustement méconnu, prend sa place dans l'histoire littéraire des années 1950. MAURICE BEAULIEU (né en 1924) est le fils d'un père tailleur de pierre et d'une mère d'origine amérindienne. Loin de l'angoisse métaphysique et contre les idéalismes, sa poésie veut étrenner le réel et instaurer l'homme québécois dans son histoire. « C'est d'être dont il faut parler. À quoi bon les mots inhabités ? » écrira-t-il.

La poésie de Maurice Beaulieu se limitera malheureusement à deux recueils aujourd'hui introuvables : *À glaise fendre*, (1957) et *Il fait clair de glaise* (1958). Elle participe d'un existentialisme sartrien qui ne convenait pas beaucoup aux historiens littéraires de son époque, occupés à commenter la tragédie spirituelle d'un Saint-Denys-Garneau. C'est pourquoi l'œuvre de Maurice Beaulieu a pu être occultée jusqu'ici dans les manuels de littérature, même si, à côté de celle de Saint-Denys-Garneau, mais à partir d'un point de vue opposé, elle inaugure une modernité en poésie québécoise.

La « glaise » de Beaulieu, c'est «la voie vers les éléments». « J'habite la saveur charnelle des éléments », écrira ce poète qui regarde l'homme confronté à la solitude, au dénuement et à la douleur d'être humain.

Maurice Beaulieu a écrit une poésie de « la prise de possession du corps et du langage », a bien noté André Gaulin. Tant par ses thèmes (le corps, l'érotisme, l'Amérique) que par son ton moderne, aussi sobre que précis, Maurice Beaulieu reste un précurseur important des poètes matérialistes actuels. Il est aussi un « poète du pays » au sens le plus profond du terme. D'autre part, le ton d'énonciation et d'affirmation de sa poésie annonce clairement celui qu'adoptera Gatien Lapointe, le poète de *L'Ode au Saint-Laurent*, dans les années 1960.

Maurice Beaulieu veut incarner l'homme debout sur sa terre amérindienne, dans l'appartenance à ses racines, mais il parle aussi d'un homme debout dans son histoire :

> *Avec chaque homme, c'est la genèse qui commence. Sinon les hommes vont aux tanières, et non aux ascidies. Sinon la sève faut de rendre vive la matière. Sinon la parole n'est point de cru. Sinon les mots, les mains, ne sont ouvriers de clarté.*
>
> *Je vous le dis : Je suis un homme. Simplement. La verdure de glaise en moi verdit. Je me vois pour la première fois. La parole nue vient de fondre sur les pierres. Le sable se fait terreau. Des hommes vont et viennent. Chacun dans sa clarté.*

## 1963
# Du lyrisme au combat

GATIEN LAPOINTE — LE MOUVEMENT DE *PARTI PRIS*
PAUL CHAMBERLAND — JACQUES BRAULT
GÉRALD GODIN — MICHEL GARNEAU — MICHÈLE LALONDE

Par ailleurs d'autres poètes continuent d'affirmer « le pays ». GATIEN LAPOINTE (1931-1983), par exemple, résumera dans son *Ode au Saint-Laurent* (1963) la poésie de l'appropriation et de l'appartenance définie depuis une dizaine d'années par les poètes de la génération de l'Hexagone :

*Ma langue est d'Amérique*
*Je suis né de ce paysage*
*J'ai pris souffle dans le limon du fleuve*
*Je suis la terre et je suis la parole*
. . . . . . . . . . . . . . . . . . . . . . . . . . . . . . . .

Mais déjà en 1963 les poètes ne sont plus seuls pour nommer le pays. En même temps que Gaston Miron publie son poème « L'Octobre », dans la revue *Liberté*, les bombes du FLQ ébranlent la société québécoise. Une révolution moins « tranquille » s'accomplit chez les intellectuels avec la fondation de la revue *PARTI PRIS* qui prend en charge ce «pays incertain». « Nous te ferons, Terre de Québec / lit des résurrections / et des mille fulgurances de nos métamorphoses...»

avait écrit Miron. En 1964, PAUL CHAMBERLAND (né en 1939) publie *Terre Québec* . C'est la «naissance du rebelle» en même temps que l'apogée de la poésie du pays :

*les printemps étaient doux oui*
*doux saumâtres les printemps de mon pays*
*un lent malaise de charbon passait entre nos deux corps oui*
*je t'aimais je souffrais les soleils étaient en prison*
*un lent malaise de charbon gâchait l'aurore entre nos dents tu te souviens*
. . . . . . . . . . . . . . . . . . . . . . . . . . . . . . . . . . . . . . . . .

Le projet d'identité défini par les poètes depuis les années 1950 devient la problématique des militants de *Parti Pris* de 1963 à 1968, jusqu'à la fondation du Parti québécois qui l'assume et l'endosse pour prendre le relais politique. La poésie se trouve ainsi à avoir «conquis le terrain de son langage ».

D'ailleurs, la poésie n'est plus la seule ni même la première parole de cette Histoire nouvelle. Avec *Parti Pris*, des poètes sont devenus romanciers : André Major, Jacques Renaud formeront avec Hubert Aquin, Jacques Godbout et Marie-Claire Blais une nouvelle génération littéraire[10]. La poésie perd de son importance au profit du roman. La poésie doit se refaire. Paul Chamberland le sait quand il publie en 1965 son célèbre recueil *L'Afficheur hurle* :

*je ne sais plus parler*
*je ne sais plus que dire*

---

10. L'histoire littéraire de cette époque a fait l'objet d'une étude de Lise Gauvin : *«Parti pris »littéraire.* Montréal, Presses de l'Université de Montréal, coll. «Lignes québécoises», 1975, 217 p.

Cécile Cloutier

Gilles Vigneault

Jacques Brault

Paul Chamberland

*la poésie n'existe plus*
*que dans les livres anciens...*

En effet, à partir de 1965, le paysage change. D'un côté, la poésie du pays s'incarne dans des paroles diverses. D'un autre côté, une nouvelle génération engage la poésie dans une réflexion sur elle-même. L'âge des langages succèdera à « l'âge de la parole ».

En 1965, l'Hexagone publie *L'Âge de la parole* de Roland Giguère dans sa nouvelle collection « Rétrospectives » où se retrouveront bientôt Paul-Marie Lapointe et Gilles Hénault. Ainsi le surréalisme des aînés nourrit l'avenir de la nouvelle poésie. La même année, JACQUES BRAULT (né en 1933) publie *Mémoire* et devient un des grands poètes lyriques de sa génération :

*Voici l'heure où le minéral cherche sa respiration*
*la pierre bouge dans sa peau*
*ô le cri de l'être arraché de son agonie*
*Chacun est pauvre d'une voix que le temps violente*

En 1967, GÉRALD GODIN (né en 1938) publie à *Parti Pris* ses *Cantouques*, « poèmes en langue verte, populaire et quelquefois française » :

*ma turluteuse ma riante*
*ma toureuse mon aigrie*
*sans yeux sans voix échenollé tordu tanné*
*démanché renfreti plusieurs fois bien greyé*
*de coups de pieds dans le ringué*
*de malheurs à la trâlée*
*flancheur d'héritages et sans cœur*
*me voici tout de même ô mon delta ma séparure*
*ma torrieuse mon opposée...*

Ce courant d'une poésie qui s'alimente aux racines d'un langage populaire et quotidien sera investi principalement par deux poètes dont les œuvres atteindront leur maturité dans les années 1970 : Pierre Morency (né en 1942) dans sa poésie d'émerveillement et MICHEL GARNEAU (né en 1939) dans la pure joie de chanter le corps familier des choses de la vie :

*mon sang me roussit dedans comme une guitare*
*et j'ai au fond des mains une douceur*
*grande comme la force*
*et je me donne malgré moi le goût de vivre*
*hors de toute rage*
*hors de tout espoir*
. . . . . . . . . . . . . . . . . . . . . . . . . . . . . .
*je m'assois dans les mots*
*comme dans un tas de feuilles*
*et j'attends*

Avant d'écrire ce poème, Michel Garneau avait été jeté dans la prison d'Octobre 70 avec d'autres poètes et militants. Mais déjà en 1968 le Québec vit cette crise politique et ses poètes défendent la cause indépendantiste avec le spectacle « Poèmes et chants de la Résistance » en faveur des deux prisonniers politiques Charles Gagnon et Pierre Vallières. Pour la première fois, MICHÈLE LALONDE (née en 1937) lance son « Speak white », le poème-étendard de la poésie du pays :

. . . . . . . . . . . . . . . . . . . . . . . . . . . . .
*speak white*
*soyez à l'aise dans vos mots*
*nous sommes un peuple rancunier*
. . . . . . . . . . . . . . . . . . . . . . . . . . . . .
*speak white*
*tell us again about Freedom and Democracy*
*nous savons que liberté est un mot noir*
. . . . . . . . . . . . . . . . . . . . . . . . . . . . .
*be civilized*
*et comprenez notre parler de circonstance*
. . . . . . . . . . . . . . . . . . . . . . . . . . . . .

## *Suggestions de lecture*
*« L'Âge de la parole » (1937-1968)*


SAINT-DENYS-GARNEAU, *Poésies complètes*. Montréal, Fides, « Collection du Nénuphar », 1972.

GRANDBOIS, Alain, *Poèmes. Les Îles de la nuit. Rivages de l'homme. L'Étoile pourpre*. Montréal, l'Hexagone, « Rétrospectives », 1979.

LASNIER, Rina, *Poèmes*. Montréal, Fides, « Collection du Nénuphar », 2 vol., Avant-dire de l'auteur, 1972.

HÉBERT, Anne, *Poèmes. Le Tombeau des Rois et Mystère de la parole*. Paris, éditions du Seuil, 1960.

LAPOINTE, Paul-Marie, *Le Réel absolu, poèmes 1948-1965*. Montréal, l'Hexagone, « Rétrospectives », 1971.

GIGUÈRE, Roland, *L'Âge de la parole, poèmes 1949-1960*. Montréal, l'Hexagone, « Rétrospectives », 1965.

MIRON, Gaston, *L'Homme rapaillé*. Montréal, Presses de l'Université de Montréal, 1970.

PILON, Jean-Guy, *Comme eau retenue, poèmes 1954-1977*. Montréal, l'Hexagone, « Typo », 1985.

PERRAULT, Pierre, *Chouennes, poèmes 1961-1971*. Montréal, l'Hexagone, « Rétrospectives », 1975.

CLOUTIER, Cécile, *L'Écouté, poèmes 1960-1983*. Montréal, l'Hexagone, « Rétrospectives », 1986.

BRAULT, Jacques, *Poèmes 1. Mémoire. La Poésie ce matin. L'En dessous l'admirable*, Saint-Lambert, Noroît et Paris, La Table Rase, 1986.

CHAMBERLAND, Paul, *Terre Québec*, suivi de *L'Afficheur hurle*, de *L'Inavouable* et de *Autres poèmes*. Montréal, l'Hexagone, « Typo », 1985.

GODIN, Gérald, *Ils ne demandaient qu'à brûler, poèmes 1960-1986*. Montréal, l'Hexagone, «Rétrospectives», 1987.

QUATRIÈME PARTIE

# L'ÂGE DES LANGAGES (1968-1983)

## 1968
## Laboratoire et contre-culture

*La Barre du Jour* — *Les Herbes Rouges*
La Nuit de la poésie de 1970 — *Mainmise*
Gilbert Langevin — Michel Beaulieu — Juan Garcia
Nicole Brossard — Roger Des Roches — André Roy
François Charron — Lucien Francœur
Paul Chamberland

Au bas du paysage, d'autres poésies travaillent et se découvrent de nouvelles racines, tant américaines que françaises. Au surréalisme et au nationalisme vont succéder les écritures de la modernité et de la « contre-culture ». Autour de la revue *La Barre du jour* que fondent en 1965 Nicole Brossard, Roger Soublière, Marcel Saint-Pierre et Jean Stafford, et des éditions Estérel avec Michel Beaulieu, Raoul Duguay et Luc Racine. Autour de la « contre-culture » avec des poètes comme Patrick Straram, Louis Geoffroy et Denis Vanier qui fréquentent les poètes de New York et de la Californie. La poésie québécoise arrive en ville sur les talons de Jack Kerouac ou se gargarise de théories nouvelles apprises de *Tel Quel*, du structuralisme et de la psychanalyse.

« À la fin des années soixante, la poésie illustre mieux que jamais la double polarisation culturelle du Québec, entre la France et les É.-U. La réflexion sophistiquée sur le texte voisine avec la révolte brute des poètes *beat*. L'écriture de l'avant-garde se cherche entre Sollers et Ginsberg, Denis Roche et Ferlinghetti. L'intervalle est large, la synthèse difficile, voire impossible. Une chose est sûre : la collaboration des poètes à ce que Godbout a appelé le « texte national » est bel et bien terminée. Ce qui ne pouvait se traduire que par une crise, fût-elle exubérante, dont la décennie suivante gardera la trace : quel est le statut de la poésie face au réel[11] ? »

Dans une époque qui s'inquiète de son avenir politique et culturel, une nouvelle génération d'écrivains prendra ses libertés de langage. La revue *LA BARRE DU JOUR* deviendra vite le foyer central du travail de l'écriture. Là, on se tient à l'écoute des théories européennes. On se met à écrire sur l'écriture. On travaille à changer la forme, non seulement dans sa syntaxe, mais aussi dans son lexique. Ce formalisme sera bientôt pratiqué comme un plaisir et un jeu avec la fondation d'une autre revue, LES HERBES ROUGES, animée par les frères Marcel et François Hébert.

Désormais, la poésie québécoise s'interroge sur ce qu'elle a à dire et à faire. Tout est matière à poésie, tous les thèmes entrent en jeu : le texte et le sexe, l'américanité et la ville, le corps et le quotidien.

Dans ces lieux d'avant-garde apparaissent des noms qui marqueront la poésie des années 1970 dans ses courants les plus divers : Roger Des Roches, Huguette Gaulin, François Charron, Lucien Francœur,

---

11. MAILHOT, Laurent et Pierre NEPVEU, *La Poésie québécoise des origines à nos jours, anthologie*. Montréal, Presses de l'Université du Québec / L'Hexagone, 1982, p. 40.

Denis Vanier, Josée Yvon, Juan Garcia, André Gervais, Louis-Philippe Hébert, France Théoret, André Beaudet, Normand de Bellefeuille, Claude Beausoleil, Philippe Haeck et Yolande Villemaire.

À la source de ces écritures : celle de NICOLE BROSSARD (née en 1943), que l'on reconnaît comme chef de file de l'avant-garde quand, en 1968, elle publie *L'Écho bouge beau*, le livre de la rupture :

*reprendre le sens du départ*
*du vif situant le rouge à l'origine*
*naissance en sous titre plumes ombrageuses*
*se disperse la brume tissu relent au vent*
*de lignes muettes se sonorise la rythmique*
*charnelle la rumeur entonne circulaire*
*le sinueux dégage son origine*
*verticale fusée prise et vécue : je m'inscris*

Événement unique et national : le 27 mars 1970, LA NUIT DE LA POÉSIE réunit sur la scène du théâtre du Gesù toutes les tendances de la poésie québécoise : écrivains nationalistes, surréalistes et formalistes sont de la fête. Une époque finit, une autre commence.

Au Québec, la poésie a pris l'habitude de sortir du livre pour se donner en spectacle et se manifester. Les spectacles « Poèmes et chants de la Résistance » avaient été vus par plus de 20 000 personnes à travers le pays. La Semaine de la poésie à la Bibliothèque nationale, organisée en 1968 par Claude Haeffely, révélera Georges Dor et Raoul Duguay, entre autres. Le groupe des Poètes sur parole anime à Québec depuis 1969 les soirées du café Le Chantauteuil. Ailleurs, à Sherbrooke et à Trois-Rivières, par exemple, les soirées de poésie se font aussi populaires.

La Nuit de la Poésie du Gesù donne donc à voir et à entendre plus de cinquante poètes de la parole, de l'écriture et du happening durant près de douze heures. Claude Gauvreau triomphe dans son langage « exploréen ». Les poètes de l'Hexagone imposent leurs présences diverses. Michèle Lalonde électrise la foule avec « Speak white ». Claude Péloquin invective l'Histoire au nom d'une poétique de l'instant. Raoul Duguay et le groupe musical l'Infonie dirigé par Walter Boudreau donnent à l'événement politique son point d'orgue ludique avec leurs délires sonores. La musique, la chanson et le théâtre s'allient à la poésie en cette Nuit « nationale » où l'on parle de pays, d'amour et de fraternité.

Sept mois plus tard éclate la Crise d'Octobre. Plusieurs poètes se retrouvent en prison avec les militants indépendantistes. L'équipe de la revue *La Barre du Jour* tient un colloque sur Gaston Miron en l'absence du poète emprisonné. Michel Garneau, à la prison Parthenais, dit tout haut pour ses camarades son poème « Aile gauche » et son ami Jacques Larue-Langlois écrit lui aussi ses « poèmes de liberté » :

*vivre debout / ne coûte jamais trop cher.*

Les années 1970 et 1971 sont aussi faites d'événements culturels marquants. Fondation de la revue de la contre-culture, *Mainmise*. Fondation par Gatien Lapointe à Trois-Rivières des Écrits des Forges, lieu d'édition aux aguets des nouvelles sources d'écritures, où se révéleront plusieurs poètes dont Bernard Pozier, Yves Boisvert, Louis Jacob, Denis Saint-Yves et Jocelyne Felx. À Montréal, Célyne Fortin et René Bonenfant fondent les Éditions du Noroît où s'élaborent les œuvres étonnantes et diverses d'Alexis Lefrançois et Francine Déry, de Jean Charlebois et Marie Uguay, entre autres.

Pendant ce temps, d'autres poètes arrivent à la maturité d'une œuvre amorcée au milieu des années 1960 : Gilbert Langevin et Michel Beaulieu, deux poètes-éditeurs passionnés de poésie, se révèlent farouchement individualistes et restent en marge de tous les courants. LANGEVIN (né en 1938), l'animateur des éditions Atys, est un poète d'amour et de révolte, nerveux jusqu'à la brûlure. Son poème, plainte et cri, se fait lapidaire dans ses appels où l'intime liberté explose, où l'utopie est la poésie même, comme il l'écrira en tête de son recueil *Mon refuge est un volcan* :

*Quand la vie forge*
*avec trop de peine ses outils*
*il faut à tout prix*
*que se parent de foudre*
*les actes les plus intimes*
*que la nuit s'ensoleille*
*que l'écorce du jour éclate*
*pour que les semaines*
*deviennent enfanteresses*

Pour sa part, MICHEL BEAULIEU (1941-1985), l'animateur des éditions Estérel, se fait le poète d'un chant profond et minutieux de l'amour contre la mort. Il tente d'ajuster les « variables » de la passion de vivre aux pulsions et gestes du quotidien. Attentif à tous ses désirs et sensations, il ne cesse de se reconstruire dans la vie de ses poèmes :

*après avoir tant frayé en silence*
*avec ce bruit qui dans les os nous inonde*
*il ignore encore ce qu'invente l'heure*
*pour périr selon sa trop précise inclinaison*
*ne couvant plus que la sereine indifférence*
*d'un goût ranci sur les poêlons de l'hiver*
*celui qui balbutie dans son corps secret...*

Il y a aussi JUAN GARCIA, qu'on peut qualifier de poète mystique. Né en 1945 à Casablanca de parents espagnols, il émigre au Québec en 1957. Il fréquente le groupe des éditions Atys autour de Gilbert Langevin et publie sa poésie dans diverses revues. Il quittera le Québec en 1968 pour résider en France, puis en Espagne. Ses poèmes, réunis sous le titre *Corps de gloire,* lui valent le prix de la revue *Études françaises* La poésie de Garcia risque le voyage alchimique de la dissolution du moi. Ses poèmes, d'une facture toute classique, laissent pourtant entendre une voix de la plus haute sensibilité contemporaine :

*toi seul avec ton sang, subi dessous le corps*
*par cet espace étanche où tu chutes parfois*
*tu sens que l'on te lit comme sur une tombe*
*et malgré tes accents de soudaine clarté*
*malgré tes longs séjours le long de tes parois*
*tu fuis hors paysage et pèses dans ton cœur*
*retourne en ce pays plus ample que tes plaies*

De son côté, la génération des *Herbes Rouges* trouve sa pulsion créatrice dans les laboratoires du langage. ROGER DES ROCHES (né en 1950) le premier, qui, contre « le pays incertain » affirme « le corps certain ». Mais il est hué à la Nuit de la poésie du Gesù, comme Claude Gauvreau l'avait été à Québec lors d'un spectacle de « Poèmes et chants de la Résistance ». Le formalisme est « un spectacle excessif », dira François Charron. Malgré la réprobation des spectateurs, Roger Des Roches, sur la scène du Gesù, lit jusqu'au bout son morceau d'anthologie « À Françoise Sagan indélébile » :

*au réveil au réveil (le lit est pétrifié de peur sortant du froid) je pense à Françoise Sagan nue je bois mon lait mamelon par mamelon en l'imaginant totalement nue péristaltique molle partout molle (moleskine frère c'est à fumer debout) encore à son bain à ma table au déjeuner c'est le ciel qui en crève je me lève on dirait des hérissons épithètes durs comme des clous et affreusement sexués.*

. . . . . . . . . . . . . . . . . . . . . . . . . . . . . . . . . . . . . . . .

Des Roches confond le plaisir du sexe au plaisir du texte. Désormais, on peut «jouir de la vie» comme de la « grammaire ». Le surréalisme revisité par l'ironie formaliste remet en question la morale bourgeoise. Contre le *beau* et le *vrai* se met en scène le corps sexué. Le texte explore les différentes formes du bonheur sexuel. Le désir n'est plus exclusivement hétérosexuel, dans le voyeurisme de Roger Des Roches, ni exclusivement procréateur dans les textes d'un autre poète formaliste trop mal connu, Normand de Bellefeuille, qui s'amuse à court-circuiter les tabous et les plaisirs des institutions familiales et sociales.

Dans les textes publiés par ANDRÉ ROY (né en 1944) aux *Herbes Rouges*, on peut aussi retrouver de façon exemplaire la démarche de la modernité, comme l'explique le poète et critique Claude Beausoleil: « L'écriture scrutée jusqu'en ses fibres syntaxiques, lexicales et sémantiques se résorbera en une explication de la quotidienneté urbaine où l'individu ayant traversé les phénomènes de structures se nommera au centre du corps et de ses passions vitales » :

*puisque donnés dans les motifs*
*voici mes genoux voici mes chevaux*
*et par le texte collant à la peau*
*pris, ce volume, certaine désespérance*
*la charge du soleil*
*la journée déménage*

*défait l'écoulement dans toute*
*la rigueur du lit...*

Les écrivains formalistes de *La Barre du Jour* et des *Herbes Rouges* introduisent aussi dans la littérature québécoise la notion de la gratuité. L'idée de la production remplace celle de la vérité. Le texte n'est plus définitif, mais il sert « de transition », comme dit Roger Des Roches : « la littérature se fait sur un "sol glissant" ».

Pour FRANÇOIS CHARRON (né en 1952), la forme prend son souffle épique dans la traversée de l'histoire littéraire. Il entre en poésie avec *18 Assauts* contre les poètes traditionnels les plus respectés dont Anne Hébert, Rina Lasnier et Jean-Guy Pilon. Il cherche à court-circuiter les formules épiques connues en même temps qu'il tente de renouveler le lyrisme. De sorte que sa poésie se fait tout à tour comique et carnavalesque, épique et politique, lyrique et romantique. Poète aux prises avec les absolus, il devient peintre automatiste en 1975 — sa pensée rendue visible sur la toile où la couleur embrasse la trace de l'écrit. François Charron incarne le lien entre les Automatistes de 1948 et les formalistes d'après 1968. Il devient un peintre comme tout poète moderne est un artiste occupé à l'acte créateur :

> *Moi, la stupéfaction, je capte dans l'expérience esthétique une expérience sexuelle à son point culminant. Je me moque de la définition valable, je n'ai jamais entièrement ce que je suis et je préfère la libre association et la moiteur. J'emprunte la chimie de la ténacité et de l'incontinence, le frémissement du film qui veut entrer ou partir. Moi, l'inquiétant, je dévoile l'étrangeté au monde.*

D'autres poètes, tournant le dos au nationalisme, cherchent le Québec américain, entre le *rock'n roll* et le quotidien. Après Patrick Straram et Louis Geoffroy, c'est LUCIEN FRANCŒUR (né en 1948) surtout qui se fait l'imagier de l'Amérique: les autoroutes le conduisent, à la vitesse du son ou de la lumière, en pleine urbanité. C'est dans ces textes que voyagent les mythes de la vie nouvelle. Dans *Minibrixes réactés*, Francœur écrit des poèmes « portatifs comme des radio-transistors, rapides comme des *flash-cubes* ». Puis le poète et chanteur rock passe de l'utopie psychédélique à l'expérience sauvage, du « *flower power* aux fleurs du mal ». Le rebelle erre dans la ville comme dans un enfer, avec son *blue jeans* hippie et son blouson noir rockeur. C'est la « tristesse de cuir », comme il l'écrit dans *Drive in*:

*dans l'horaire des rides*
*j'embarque ma fille de course*
*nous n'avons plus seize ans*

*rock'n roll radio funèbre*
*la dope de Bob Hope a tué Jim Morrison*
*les enfants pleurent sur Love Street*
*(le Morrison Hotel est sur Hope Street)*

Ce qu'on appelait la « contre-culture » devient la « nouvelle culture » et s'incarne en poésie chez PAUL CHAMBERLAND, qui a quitté la guérilla de *Parti Pris* pour la révolution de Mai 68 à Paris. Il est passé de la *Terre Québec* à la *Terre souveraine* et de la politique à l'utopie cosmique. Le poète philosophe devient l'alchimiste qui habite au cœur des métamorphoses. Dans *Éclats de la pierre noire d'où rejaillit ma vie* s'élabore le mysticisme d'un poète qui a pris l'homme comme fondement de sa religion, a bien dit Gilles Marcotte. Désormais, la révolution politique s'accomplit dans les corps et les consciences. Elle traverse la sexualité et le rêve. Elle fait appel aux instincts comme aux mythes :

« Nous devons nous reposer des fatigues d'une longue civilisation », écrit Chamberland qui publie en 1974 : *Demain les dieux naîtront*. L'utopie, à la recherche d'un « instinct supérieur » et d'une conscience globale de « l'hommespèce », permettra d'expérimenter le « dieu nouveau » dans la reconnaissance de « l'enfant cosmique ». Ainsi, « la dernière violence sera celle de l'amour ».

Avec le courage du désespoir, le mutant traverse les tabous, le poète assume sa voyance. Il calligraphie ses mots comme un sismographe dans la nuit des temps :

*unique voie lactée*
*d'un sperme inépuisable*
*nous engendrons*
*le monde*
*le monde est notre corps*
*nous sommes dieu*
*nous sommes l'homme*
*nous sommes*
*réalité*
*totale*

Dans ce nouveau laboratoire des idées et des cœurs, s'agrandit ce que Chamberland nomme le « réseau des compagnons chercheurs ». Autour de la revue *Mainmise* en même temps qu'aux éditions du Jour puis de l'Aurore se croisent les formalistes et les écologistes, se rencontrent les matérialistes et les spiritualistes, apparaissent le marxisme et le féminisme.

# 1975
# Travaux et célébrations

## *1. Du formalisme au féminisme*

HUGUETTE GAULIN — NICOLE BROSSARD
FRANCE THÉORET — MADELEINE GAGNON — CÉLYNE FORTIN — FRANCINE DÉRY
GENEVIÈVE AMYOT — JOCELYNE FELX

Presque simultanément en 1975, à Montréal, deux événements culturels avivent les consciences : une rencontre internationale de la contre-culture à laquelle participent Allen Ginsberg et William Burroughs ; puis la Rencontre québécoise internationale des écrivains, qui a pour thème « La Femme et l'écriture » et qui réunit une trentaine d'écrivains et d'écrivaines de l'Europe, de l'Amérique et du Québec, dont Annie Leclerc, Claire Lejeune, Lila Karp, Monique Bosco, Vera Linhartova, Anne Philippe, Michèle Mailhot et Nicole Brossard.

Cette rencontre fut essentielle à l'essor du féminisme au Québec. Le mouvement était cependant déjà amorcé dans l'écriture des femmes. Non seulement chez des pionnières solitaires comme Hélène Charbonneau dans les années 1920 ou Isabelle Legris dans les années 1940, mais aussi chez les contemporaines des années 1970. Madeleine Gagnon avait publié *Pour les femmes et tous les autres*. Carole Massé, dans *Rejet*, a fait violemment éclater le langage du « carcan patriarcal ». Mais parmi les premières, HUGUETTE GAULIN avait lancé le signal d'alarme : « les feux attaquent à outrance ». Le 4 juin 1972, âgée de vingt-huit ans et mère de famille vivant du bien-être social, elle s'immole par le feu devant l'hôtel-de-ville de Montréal. Son unique recueil, *Lecture en vélocipède*, reste inimitable dans l'intensité et la force concrète de sa poésie en spirale, en révolte contre un monde qui se défait de la vie :

*veille la chair en rond étrange*

*écoute on soulève les bois*
*ils cessèrent d'inventer la carrière de nos os*

*aujourd'hui leurs promesses*
*comme un tambour qu'une voix*
*fait luire aux défilés de la faim*

*elle émeute l'étendue de son sable*
*et se rassemble*

Désormais, la parole des femmes se multiplie en tous sens, en tous lieux. Sur les terrains de la fiction et de la théorie, des voix diverses prennent corps et mots. Comme l'a écrit la critique Suzanne Lamy : «Chacune à sa manière refait la remontée aux sources de la révolte, tente le décloisonnement des savoirs, la découverte d'un imaginaire féminin, une nouvelle façon d'appréhender le réel et l'écriture dans la conscience aiguë des corps humiliés, des corps amoureux ».

Les noms des femmes s'inscrivent plus nombreux aux sommaires des revues. Par la réflexion du collectif *Les Têtes de pioche*. Dans les numéros spéciaux de *La Nouvelle Barre du Jour*. Dans les pages d'*Estuaire* aussi, qu'anime avec d'autres Suzanne Paradis. Les

Michel Beaulieu

Nicole Brossard

France Théoret

Claude Beausoleil

genres littéraires sont remis en question par l'écriture des femmes, en poésie, en roman, en théâtre. L'humour de la revendication féministe fait voler en éclats les anciens miroirs. *L'Euguélionne*, roman de Louky Bersianik, est un *best-seller*. *Les fées ont soif*, la pièce de Denise Boucher, fait scandale. Des spectacles comme *La Nef des sorcières* et *Célébrations*, de même que les pièces de Jovette Marchessault et de Jeanne-Mance Delisle apportent au théâtre un nouveau lyrisme baroque qui réinvente la mémoire ou réinvestit le vécu au présent de la femme.

L'amour même se redéfinit dans l'écriture comme dans les corps. Les livres des femmes parlent de la sexualité, du mythe de l'inceste jusqu'au lesbianisme. « La vie privée est politique », disent les féministes. Cette vérité de combat devient le thème d'une écriture nouvelle qui questionne l'intime et le quotidien, tant chez les hommes que chez les femmes.

NICOLE BROSSARD est restée à l'avant-garde. Tant par ses romans que par ses livres de poésie, l'écrivaine poursuit son travail sur les questions de la forme et du sens. « Une passion d'écriture traverse ce corpus alimenté au monde des idées, de l'émotion et du corps », constate Claude Beausoleil.

De son côté, FRANCE THÉORET (née en 1942) assume le risque de la parole « résistante » car, pour elle, écrire est une modalité de l'action. Elle décrit les vies sans langage des femmes blessées vivantes. Elle écrit la violence faite à la femme, à son corps et à son esprit. Elle explore « les sciences exactes de l'être » : « J'écrirai pour faire voir les dégâts psychiques de la civilisation ».

MADELEINE GAGNON (née en 1938), pour sa part, refait des itinéraires vers l'origine. Dans *Antre*, elle cherche chez sa mère les vérités du sang. Dans *Lueur*, elle creuse la mémoire des premières traces du langage. D'autres textes passent de la fiction à la théorie pour s'opposer aux discours dominants, pour déranger l'ordre établi :

> *Je veux poser comme seule stratégie pour le combat, l'amour, comme seule stratégie à l'amour le courage et comme trame pour filer mon courage, l'exploration, l'ouverture, la réceptivité totale, celle qui n'est pas passivité mais explosions dissimulées chaque fois que je m'apprête à découvrir encore ce corps qui se dit à même des cratères, des obscures, des collines, des lisses, des mouvements reconnus et d'autres qui surgissent surprenants.*

Des voix nombreuses et diverses poursuivent cette quête d'identité de la femme en poésie. Madeleine Ouellette-Michalska traverse l'histoire : « nous n'avons pas fini de remonter le cours du sang ». D'autres prennent les chemins de la mémoire. Louise Dupré veut « forcer » les généalogies et le texte officiel. Louise Cotnoir réclame l'usage de la parole : « Je descends d'une chronologie anonyme ». Pendant que Germaine Beaulieu fait avec ironie l'inventaire des stéréotypes de la représentation du féminin, Suzanne Jacob affirme la présence de la femme dans la gémellité. Chez CÉLYNE FORTIN (née en 1943), *Femme fragmentée*, chaque poème est volé à la vie quotidienne, dans l'angoisse des visages perdus, dans l'urgence d'exprimer l'existence la plus complète au féminin :

> *dis-leur*
> *de renaître*
>
> *et que « les mots pour le dire »*
> *nous attendent*

*dis-leur*
*s'il est encore temps*

Pour Francine Déry (née en 1943), il faut « écumer femme au fil des pages ». La passion de la liberté s'exprime dans une écriture charnelle et véhémente, «pour le poème à forme jouir» et pour retrouver ses sœurs « cosmiquement rassemblées à la hauteur de l'écrit ».

L'écriture n'a plus de frontière ni de « genre ». La poésie se fait prose. Le récit devient journal intime. Le « nous » collectif féministe conduit aux « je » féminin pluriel et « masculin singulier ». Divers textes de la modernité prennent forme sur la trame du vécu.

Les livres de Geneviève Amyot (née en 1945) inaugurent ce nouveau rapport de l'écriture au quotidien. Loin des foyers de la modernité (les revues *NBJ*, *Herbes Rouges*, *Hobo-Québec*), elle trace avec humour et tendresse un langage du grandiose et de l'ordinaire. Elle traverse les mots « désir » et « douleur » comme des nœuds de clarté. Attentive aux métamorphoses de la naissance à la mort, elle fait de chacun de ses livres une expérience de vie intérieure. Elle se recommence. Comme avec ce dernier recueil, *Dans la pitié des chairs*, qui réinvente l'enfant du ventre de sa mère au cœur du texte : « tant de naissance jamais close », dit-elle.

Jocelyne Felx (née en 1949), dans ses *Feuillets embryonnaires*, fera elle aussi le récit d'une grossesse, d'une mise au monde de l'enfant comme de l'écriture. Pour sa part, Philippe Haeck (né en 1946) est un homme à la recherche de la tendresse et de la féminité. Sa poésie, en même temps qu'elle pratique le dynamitage des langages oppresseurs, réalise le tissage des paroles amoureuses. La poésie lui apprend à devenir un résistant et un amoureux : « l'écriture continue l'amour, elle met au monde ». Chez Denise Desautels (née en 1945), *La Promeneuse et l'oiseau*, le journal intime relie la mémoire quotidienne au fleuve des sensations.

### 2. *Poésies du corps et de la ville*

DENISE LA FRENIÈRE — ANDRÉ ROY — MARIO CAMPO
FRANÇOIS TÉTREAU — JEAN-PAUL DAOUST
PAULINE HARVEY — JANOU SAINT-DENIS
DENIS VANIER — JOSÉE YVON — LUCIEN FRANCŒUR

Avec l'écriture du quotidien, nous entrons dans ce que Pierre Nepveu a nommé, d'après le beau titre de Yolande Villemaire, « l'ère de *La Vie en prose* » : « c'est-à-dire d'une écriture qui cherche à écrire la vie dans toutes ses dimensions, en englobant aussi bien l'autobiographie que le fantastique, la réflexion sur le quotidien que le lyrisme le plus débridé. Une écriture où le journal personnel et la chronique tiendraient une large place, mais pour se subvertir eux-mêmes dans une structure polyphonique et fragmentée ».

À ce chapitre, il faudrait d'abord citer Anne-Marie Alonzo (née en 1951), chez qui l'écriture gagne le geste même de vivre, dans un corps immobile où le sang chemine entre la folie et le rêve. D'autre part, les détails de l'intime fondent la poétique de certains écrivains des *Herbes Rouges*, tels Hugues Corriveau et Marcel Labine, chez qui le corps masculin est aussi le corps d'écriture.

Ainsi se rejoignent les deux grands thèmes de la décennie soixante-dix. Depuis Roland Barthes, « le plaisir du texte » est devenu le « ceci-est-mon-corps ».

Jadis muet, le corps non seulement renaît désir, mais encore s'écrit conscience. Chez les femmes et tous les autres, pourrait-on préciser pour paraphraser Madeleine Gagnon. Corps amoureux. Corps féminin et urbain. Corps lesbien ou homosexuel. Corps de l'autre. « Le corps sujet brûlant », dit Nicole Brossard.

Ici, parfois, un certain lyrisme l'emporte. Chez Paul Chanel Malenfant (né en 1950), le poème s'ajuste au corps d'écriture. Il revient au « corps sauvage » et se fait *harmoniques* chez Gatien Lapointe, ce « poète du pays » qui rejoint la modernité avec *Arbre-Radar*. Le corps est, au contraire, nostalgique chez Pierre Laberge, puis chez Danielle Fournier : « nous nous aimons à la mesure de notre perte ». Le langage du corps se fait plus sobre, intimiste et fulgurant chez Jean Yves Collette (né en 1946) dont les récits travaillent au cœur de l'éclair érotique. DENISE LA FRENIÈRE (née en 1949) reprend à son compte et du côté de la femme les mots comme preuves des gestes et fantasmes érotiques. À son tour, la femme met en doute le « sentiment d'aimer ». Elle s'insurge contre une loi écrite, elle refuse « la marche à suivre et le mode d'emploi » :

*ne sommes-nous que secrets*
*hermétiques*
*les paupières relevées en retrait*
*comme les loups la catastrophe*
*on la hurle rien d'autre*

Par ailleurs, Jacques Lanctôt (né en 1945), dans *Affaires courantes*, écrit la prose du désir intime et quotidien à même les fantasmes où prend forme la solitude érotique : « Dans la foulée des passions on veut vivre où ça jouit ». La sexualité comme passion, mais aussi comme ironie de la sentimentalité, traverse la poésie d'ANDRÉ ROY (né en 1944). *Les Passions du samedi* et *Monsieur Désir* proposent un art d'aimer homosexuel dans « l'inavouable » du corps exact et sentimental, jouisseur et marginal :

> *j'ai donné ma tendresse sans trop y réfléchir*
> *mais tu avais des civilités ces cadeaux*
> *et à savoir par certaines procédures t'enlacer*
> *par tous ces liquides je me sens délié*
> *on voudra y voir des sentiments précieux*

En parallèle du travail d'André Roy, il faut placer celui de Nicole Brossard dans *Amantes* puis dans *Tempes* et autres corps/textes : « Chute, le corps sa pareille, peau la langue monte au cerveau », écrit-elle.

Le corps, c'est aussi celui de la ville, qui s'écrit: où se trame la vie se cachent des langages. Nicole Brossard et certains écrivains des *Herbes Rouges* ont pratiqué cette avenue de l'écriture. L'urbanité devient alors un des moteurs de l'imaginaire québécois.

Les nouveaux poètes traversent la cité de leurs désirs. « Je me promenais avec une élégante tristesse », disait André Roy. Voici qu'après les « rockeurs sanctifiés » apparaissent les « dandys de métal ». Ici se profilent des ombres baudelairiennes. Un nouveau romantisme urbain dessine le paysage du désespoir et de la chasse à l'amour. Ni formaliste ni prose écrite au « je », cette poésie déferle en tableaux hyperréalistes, en musiques stridentes dans la nuit-néon.

Avec ses *Insomnies polaroids* (1980), MARIO CAMPO (né en 1951) semble vivre les dernières obsessions de la ville. Celui qui s'était déjà pris pour un poète maudit et qui s'était cru atteint de « nelli-gauvrose» dans *Coma Laudanum* (1979) finit par se retrouver dandy de «l'urgence urbaine ».

François Tétreau (né en 1953), après avoir exploré les fonctionnements du rêve, évoque une ville plus stylisée, dans les liens du langage et du corps urbain :

> *Nous cachons tous une ville dans notre crâne, dans notre ventre, et c'est elle qui nous tue.*

Jean-Paul Daoust (né en 1946) serait peut-être le dandy urbain préféré de Baudelaire : celui qui possède le temps, le culte de sa personne et de ses passions, qui doit vivre devant un miroir: blasé le jour, blessé la nuit. Car il habite « le désert rose ». Il fréquente les derniers refuges de l'imaginaire: la ville, la nuit et les bars. Son ami Claude Beausoleil aura beau dire que « le désespoir est une façon de survivre », Daoust continuera « d'exagérer le réel » rose et noir du désir. C'est la « city life » : un style de vie qui fait surgir le rêve éveillé de la nuit. Puisque le dandy urbain s'ennuie le jour, quand le réel ne répond plus :

> *La ville peut avoir l'air d'un film d'horreur*
> *quand elle montre son squelette au cœur fatigué.*
> *Sur ses trottoirs d'asphalte des dandys de métal*
> *arpentent leur propre indifférence. Ils se*
> *promènent comme des miracles inattendus dans ces cathédrales nouvelles. De nouveaux saints.*

Errant dans cette ville qui s'écrit, Baudelaire, pour qui la femme était le contraire du dandy, serait cependant surpris d'entendre la poésie sonore de Pauline Harvey (née en 1950) dont le formalisme inattendu se réverbère en écho des murs de la ville :

> *ta dac tylo va taper va taper*
> *attention ton taxi va t'appeler*
> .........................
> *tu piétines ton tapis ton taxi va t'appeler tu*

*contactes un ami attention*
*ta dac tylo va taper*

À côté d'elle, l'animatrice de « Place aux poètes », JANOU SAINT-DENIS (née en 1930), porte la parole en déroute dans ses *Carnets de l'audace*: clameur d'une poésie libre et fraternelle, dans la nécessité de *changer la vie*, dans *l'audace du réel* :

*Je suis une fêlure*
*une toute petite fêlure*
*dans vos cerveaux moisis*
*au prêt à dire*

Restons dans la ville quotidienne. Approchons-nous du paysage hyperréaliste d'un sous-prolétariat de la drogue et de la prostitution, habité par deux poètes qui écrivent par révolte :

*Nous ne sommes plus de la race des mutants*
*mais de celle dont les yeux*
*brûlent la lumière*
*avec des rubans aux poignets*
*pour nous lier au bonheur*

DENIS VANIER (né en 1949) rêve de liberté absolue. Vanier langue de feu, qui pratique une poésie à bout portant, excessive dans son terrorisme du langage pour enfin saccager tous les tabous.

À côté de lui, JOSÉE YVON (née en 1950) pratique une poésie de l'injustice sociale. Elle rencontre sur la corde raide du vécu des femmes d'affirmation et de douce folie sauvage, *Danseuses-mamelouk* et *Filles-commandos bandées*. Des histoires de « fées mal tournées » et « de la délicatesse qui saigne » traversent cet univers d'enfer où « c'est la laideur qui appelle la beauté » :

*soudain un trou noir dans bourrasque,*
*voir le fond de sa vie*
*bientôt sera entendue l'explosion des messages*
*le jus d'un doux dérèglement des sens*
*sans fantasme pervers.*

Après les punks de la révolte et du désespoir, la ville accueillera-t-elle les « rockeurs sanctifiés » du tragique et du sacré ? Denis Vanier disait : « le désir c'est la prière ». LUCIEN FRANCŒUR (né en 1948) vient prononcer l'oracle : « je vois donc je jouis ». Le poète voyeur est passé du côté des prophètes, au-dessus de l'histoire il proclame : « La seule idéologie possible est celle de l'extase ». Ainsi sont purifiés les héros urbains, sauvés par l'écriture. Pour Francœur, la poésie n'est plus une arme sociale, mais la Vérité même. Son ouvrage, *Les Rockeurs sanctifiés*, qu'il a calligraphié à la manière de Chamberland, veut unifier toute sa démarche sur un ton lapidaire et définitif: la mythologie de l'Amérique, rachetée par celle de l'Égypte, devient *révélation*. Mais pour combien de temps encore faudra-t-il croire ?

### *3. L'état du vivant*

PAUL CHAMBERLAND — PIERRE NEPVEU
ROBERT MÉLANÇON — MARIE UGUAY — GILLES CYR
HÉLÈNE DORION — RENAUD LONGCHAMPS
MICHEL GAY

PAUL CHAMBERLAND, lui, continue de questionner le réel. Il devient un témoin-nomade. Il circule dans la ville et note ce qui se passe pour donner les signes les plus proches possibles d'un vécu, pour renouer un rapport de vivant avec les surfaces et les apparences. Le langage poétique reste une pratique du quotidien :

> *parallèlement à la fenêtre*
> *la vive partition de la rue*
> *des sautes de voix surtout d'enfants*
> *sur la base continue des machines*
> *diverses, inopportunes* sciage &
> ponçage du béton aux diamants
> *un déroulement*
> *aléatoire pour l'oreille, chaque moment*
> *parfaitement singulier, imprévisible...*

Le « témoin » pratique aussi, dans ce qu'il appelle des géogrammes, l'écriture de l'actualité. Il réécrit le discours *actualiterre* des journaux pour serrer de près l'évolution au jour le jour de ce multiple-événement qui se passe actuellement sur la terre et ressemble aux douleurs de l'enfantement: « Est-ce que les guerres iraient de soi comme les fleuves comme les sèves ? certains le pensent ».

Pour désamorcer l'apocalypse, il choisit le courage de la poésie liée à l'intime, au social, au savoir, à la gnose et à la voyance. Il poursuit la démarche entreprise dans *Extrême survivance extrême poésie* pour « cartographier la terre astrale ». Le témoin se fait aussi explorateur. Il entre en rapport avec la connaissance des anciens fondée sur les symboles, les rites et les mythes. Il passe du côté hiéroglyphe. À *l'endroit* du monde (l'envers étant la science), la gnose est un savoir en acte, un savoir savoureux et transformateur de soi qui provoque l'état d'éveil et nous permet de renouer notre rapport avec l'environnement. Il ne s'agit pas, pour Chamberland, d'établir un culte mimétique des systèmes de symboles orientaux, de hiéroglyphes égyptiens ou de rituels mayas, mais d'essayer de saisir, dans la dimension de la gnose, une nouvelle façon d'être au monde. « Une nouvelle civilisation, si elle est possible, appelle un rétablissement d'équilibre entre la technologie et notre savoir intérieur, c'est-à-dire l'énergie, les sucs, les sèves, le sang qui circulent dans la substance même du vivant ».

Les questions de la connaissance du monde et de l'état du vivant, PIERRE NEPVEU (né en 1946) les aborde par un chemin différent, mais non moins exigeant. Pour lui aussi, l'écriture est « un artisanat de l'insoutenable, une détresse qui espère ». Dans le décor de la vie quotidienne et urbaine, individuelle et sociale, la poésie de Nepveu déconstruit les certitudes et réorganise le réel. Plus que chez d'autres, peut-être, tout est matière à poésie. Cela se passe dans cet « éboulis d'événements» d'un monde qui éclate, dans «l'instantanée métamorphose de la foudre » :

*la calligraphie du moindre appétit*
*métal des artères en flèche*
*dans la pensée couleur chair*
*pour la croix de deux corps sur un lit*
*la santé trop humaine des années-fleuves*
*pèse lourd dans les vertèbres*
*à la table de ranimation du paysage*
. . . . . . . . . . . . . . . . . . . . . . . . . . . . . . . . .

Pierre Nepveu a très bien défini lui-même, excellent critique de la poésie des autres mais aussi de la sienne, son projet d'écriture : « Mettre à jour, représenter ce désastre, cette tempête à retardement, cette maladroite occupation de l'espace et du temps qu'est le moi, telle a été et continue d'être la seule motivation véritable de mon écriture. Je ne peux concevoir ce que j'écris que comme un perpétuel frôlement du désastre. L'immunité ne m'intéresse plus. Ni la distance à soi, qui permet de faire face aux rafales de l'imaginaire ».

Et quand il parle de ce qu'il écrit, Nepveu pense à Mahler, ce romantique qui a lu Nietzsche : « il y a en lui une aspiration vers la totalité et le sacré, mais avec un sens de la dérision et de la catastrophe qui appartient bien au vingtième siècle. Il y a dans sa musique un air de fin du monde, sans que l'on sache s'il s'agit d'une apothéose ou d'une apocalypse ».

De son côté, ROBERT MÉLANÇON (né en 1947) veut habiter le chant du monde par une poésie de la présence et de l'éveil :

*Le rêve du fleuve*
*Se dissipe à peine*
*J'émerge de sa lumière*
*Sans ombre comme un nageur*
*De l'étreinte de l'eau.*
*Je me penche à la fenêtre*
*Et l'étrangeté*
*Du matin me surprend.*
*Dans la rue coule*
*L'aube, cette eau sans rive.*

C'est dans l'immédiat que le poète recherche la fluidité d'un séjour habitable. Contre la fuite du temps, l'écriture de la lumière. Contre la précarité du lieu, le rêve de l'eau.

Dans *Peinture aveugle*, un titre emprunté à la définition de la poésie selon Léonard de Vinci, Mélançon transcrit, du regard à la parole, des lieux en fusion :

*L'instant, la chaleur, tel*
*Est le poème qui se déroule*
*Et fuit dans l'inaccompli.*

Le bonheur de la poésie n'est-il pas d'arrêter le temps, d'éterniser l'émotion ? C'est bien une poésie de la sensation que pratique MARIE UGUAY (1955-1981) :

*l'esprit s'ouvre*
*quand nous longions les vagues*
*l'air avait des lèvres*

Dans son premier livre, *Signe et Rumeur*, sa parole s'émerveille du monde. Ensuite, dans *L'Outre-vie*, une voix, blessée, chante ses désirs. Enfin, dans ses derniers *Autoportraits*, elle habite son propre langage, où le poème devient la fulguration de l'instant. Sa poésie évoque la beauté de la vie qui se défait, en même temps qu'elle capte la joie fragile du présent.

Marie Uguay vit sa part amoureuse de la suite du monde. Au « centre des sources » elle habite les lieux conquis de ses sens. Ses « mains friandes » cueillent « la clarté du plaisir ». Plus heureuse en amour qu'Aragon, plus présente qu'avenir, elle écrit :

*Du même amour*
*je me sens tantôt l'homme*
*et tantôt la femme.*

Elle pratique une poésie du corps et de la mémoire, qui serait notre exacte définition d'être au monde. Poèmes de la présence réelle. Car le corps n'est pas un lieu littéraire mais ce qui de nous vit et meurt. Quand la mort s'insinue, ce n'est pas dans le poème :

*Ce geyser en moi*
*ces racines sonores*
*cette brûlure au sang de ta douceur*
*mon corps n'est plus qu'un satin attentif*
*un élan désespéré où se défait ton regard*

Cette poésie possède l'infinie précaution des voix nues. Marie Uguay est morte, mais son œuvre reste une victoire éclair.

Avec un autre poète, GILLES CYR (né en 1940), ce n'est plus le temps mais l'espace qui est en cause, au lieu même d'exister. Ici, la parole « résiste » pour construire mot à mot un nouvel espace vital. Nul paysage à posséder, mais l'air même. Aucune nostalgie, mais la conscience du lieu. Nulle musique, mais le poids des mots. Avec une économie de langage la parole, précise, met le poème en mouvement dans l'espace du silence :

*Où le vent, arrasé, est seulement ce vent,*<br>
*où l'herbe écoute, va débuter*

*d'une parole brève je me suis avancé*

*j'ai épié le froid, là où le froid,*<br>
*arrivant le premier*

Plus que jamais, même chez les poètes les plus jeunes, surgit la question de la poésie comme lieu de l'ultime présence au monde. « L'oralité menaçante de l'émeute fouille la mort lucide », écrit Robert Yergeau. Citons aussi HÉLÈNE DORION (née en 1958), dont les premiers textes publiés dans la revue *Estuaire* ont déjà pris le ton de la modernité :

*puis ce fut ma vie*<br>
*peaux refaites*<br>
*dans le tranchant*<br>
*ce refus de brûler*<br>
*au-dessous du sol*<br>
*semblable érosion*<br>
*fêlure extrême*<br>
*ce tissu broyé*

Nous ne sommes pas loin d'un formalisme qui s'attache au langage comme matière du monde. RENAUD LONGCHAMPS (né en 1952) écrit « une sensation épidermique de l'univers » où le texte fait corps avec la matière en transformation, de la préhistoire à l'apocalypse, du corps désirant au corps périssable. Cette « poésie exacte », selon l'expression de Pierre Laberge, fréquente un réseau de références scientifiques, biologiques, chimiques car « en toute matière la juste reproduction de nos rêves ». Ce « savoir vivant », dit bien Claude Robitaille, questionne la fin des corps :

*jusqu'alors tes formes neuves jusqu'à l'extinction*
*tes cris*
*l'amour comme concurrence et perte du détail*
*nous sommes dans la chair une histoire de nos débris*

Mais la matière qui s'achève est aux prises avec la pensée. Ici travaille l'écriture de MICHEL GAY (né en 1949) : « Où le cerveau désolé de silence s'imagine ». Nous sommes dans le *métal mental* d'une *fiction (froide)*. Il s'agit, comme l'explique Claude Beausoleil, de « montrer une attention toute particulière aux questions de formes et aux questions de traces laissées dans le langage par l'interrogation sur la matière ». Il s'agit, comme avec Serge Sautreau, de « (filmer) l'intérieur du plaisir ». Écrire *sur* et *dans* l'écriture :

*Par exemple, le fait de suspendre sa*
*pensée pour, un moment, fermer*
*la fenêtre où elle a pu apparaître*
*(pour une fois : sa propre pensée).*

Roger Des Roches, lui, pratique la « pensée rapide ». Il invoque la lucidité : « Rien n'est si important que le vide ».

Le formalisme travaille de plusieurs façons. Normand de Bellefeuille a écrit avec Des Roches un recueil qu'ils ont intitulé *Pourvu que ça ait mon nom,* où leurs textes parallèles tentent d'inscrire les jeux du langage dans la fiction d'un personnage au « je » quotidien. Par ailleurs, le plaisir du langage des codes joue sur des claviers différents : chez André Gervais, par exemple, qui les déjoue et les déconstruit ; chez Louis-Philippe Hébert, qui les redécouvre dans l'écriture froide de l'ordinateur.

### 4. *Un état d'esprit : la modernité*

YOLANDE VILLEMAIRE — CLAUDE BEAUSOLEIL
NICOLE BROSSARD

De son côté, YOLANDE VILLEMAIRE (née en 1949) a choisi d'écrire le rose et le noir. Ses romans expriment la vie en prose tandis que sa poésie envisage le langage comme *la clef des songes*. Pour elle, l'écriture est tour à tour un laboratoire, une alchimie, un théâtre. Ses premiers textes jouaient dans les bulles de la bande dessinée et les techniques de l'Oulipo ou même travaillaient avec des codes secrets. À travers des bribes de connaissances s'invente alors une sorte de *langue du futur* qui aurait ses racines dans l'Atlantide. *Du côté hiéroglyphe*, l'écriture est une performance qui étudie l'effet des mots sur le bio-computer humain. *Travail au noir*, elle s'approche de la gnose parmi les mythologies du profane et du sacré, de Wonder Woman au dieu Ptah. Par le jeu des codes, Yolande Villemaire pratique en écriture le mythe de l'espionnage. Elle se fait agent secret à l'écoute d'une puissance intérieure. Écrire, c'est décoder les messages reçus d'un personnage mythique qui serait bien Yvelle Swannson. Poésie *d'espionnage*, comme le raconte le dernier texte de l'ensemble de sa poésie publié sous le titre *Adrénaline* :

*Histoire de l'espionne dans la maison de la nuit, (...) Je la vois danser dans vos yeux, femmes noires du continent noir. Elle enchaîne les soixante-douze mouvements du vingt-sixième kata dans lequel elle apprend à se battre contre des adversaires imaginaires. Histoire de l'espionne dans la maison de la nuit. Histoire de l'espionne qui prend part à la nuit. Et le jour se lève, voile blanche, navire night dans la nuit des temps.*

La modernité, c'est un état d'esprit. « La modernité n'est pas une notion clef elle n'est qu'un indice relatif du changement », dit CLAUDE BEAUSOLEIL qui, parmi les premiers avec Nicole Brossard, s'y est aventuré. Pour lui, comme pour Chamberland, l'écriture *déjoue la réalité* : c'est un instrument de précision capable de provoquer et d'entretenir l'état d'éveil. Voilà peut-être pourquoi on n'imagine pas Beausoleil ailleurs que dans une vie littéraire. On n'en doute pas : *il vit comme un texte*. Il respire, il parle, il agit, il circule mû par sa passion de l'écriture. Sa boulimie littéraire n'a d'égal que son désir de vivre. Critique fidèle de la nouvelle écriture, le poète a aussi publié en quinze ans une vingtaine de livres qui poursuivent « une certaine théorie du vécu des signes ». Au centre de ces textes se posent la question de l'écriture et celle des lieux qu'elle traverse : le corps de la ville. Comme dans « un entretien entre l'écriture et les fantasmes urbains, entre le vécu et l'inventé. J'écris mon corps traversé d'écritures, j'écris des mots qui m'écrivent. Finalement je m'abandonne ».

À la froide affirmation du langage des premiers recueils succède un certain lyrisme urbain et moderne où s'insinuent des textes du quotidien, de l'angoisse, de la nostalgie et de la solitude. On voit que *Dans la matière rêvant comme d'une émeute*, Beausoleil consent à *s'écrire*. Une certaine pudeur savante accède aux « fresques de l'intime » et sa poésie, fidèle à sa recherche formelle, n'en commence pas moins à vibrer de l'intérieur même du texte. Nous voici devant la passion d'une « écriture qui ne finirait jamais » et dont le travail est « suspendu aux instants / et aux désirs du livre / celui du dedans / qui dévoile et estompe ». Ici, Claude Beausoleil se fait le témoin de son délire comme de son silence. Il s'avoue puis disparaît dans le poème vivant :

> *...Écrire le tout pour le*
> *tout... dans les vagues de sons dans les artères*
> *du silence sous les soleils noirs d'une éternelle*
> *révolte comme si de là venait le calme nécessaire*
> *à toutes les poursuites... la démesure est un état*
> *idyllique on y choisit la persévérance des instincts*

Les recherches de la modernité québécoise s'incarnent chez NICOLE BROSSARD, dont le travail questionne le mythe du Livre, comme dans un « entretien infini », passionné et toujours en mouvement, sur l'écriture, la forme et le sens. Depuis quinze ans et une quinzaine d'ouvrages de poésie et de roman, de *Mordre en sa chair* jusqu'à *Amantes* et de *Un livre* jusqu'à *Picture Theory*, Nicole Brossard s'est tenue à l'avant-garde. Son écriture a laissé des *traces* dans la littérature québécoise et Claude Beausoleil a pu proposer à l'équipe de *La Nouvelle Barre du Jour* d'organiser à l'automne 1982 un colloque sur l'œuvre de Nicole Brossard qui est, dit-il : « une sorte de plaque tournante pour qui veut saisir les problématiques qui ont rendu différent notre paysage littéraire. La modernité, le langage, le corps, le féminisme, le formalisme s'y jouent avec une volonté très affichée de se déplacer toujours vers encore plus de conscience et de désir comme si ce n'était plus possible d'imaginer un texte qui ne se permuterait pas au contact de nouvelles nécessités. »

Dans cette écriture en effet se lit « ce qui ouvre et œuvre ». Les textes sont là, concrets « à écrire ce qui se trame dans le langage quand il se fait exploration, étreinte, pensée, plaisir, questionnement », précise Beausoleil. Il s'agit de « l'écriture comme pratique radicale de la lucidité », dit bien Pierre Nepveu. Élaborer une *forme ardente*. Imaginer la femme *au présent*. Traverser *le sens apparent*. Travail en *spirale*, « cycle féminin ». Théorie et pratique de l'écriture à travers les mots du corps et du quotidien, à travers les structures de la ville et de la modernité. Joute de l'amour et tournoi du poème. « Nous savons désormais le commencement de nos peaux et de nos pensées ». Désormais un nouveau *continent* se parle au féminin pluriel :

> *le poème si c'est tournoi me tente*
> *ligne absente*
> *m'abstrait plus encore près de toi*
> *pour s'accomplir*
> *à la limite des lèvres, le poème*
> *est indissociable du quotidien*
> *lorsque d'une décision*
> *faire signe de la main allume les tempes*
> ...................................

***Suggestions de lecture***
*L'âge des langages (1968-1983)*

BROSSARD, Nicole, *Le Centre blanc, poèmes 1965-1975*. Montréal, l'Hexagone, « Rétrospectives », 1978.

THÉORET, France, *Une voix pour Odile*. Montréal, Les Herbes Rouges, « Lecture en vélocipède », 1978.

LANGEVIN, GILBERT, *Mon refuge est un volcan*. Montréal, l'Hexagone, 1978.

MÉLANÇON, Robert, *Peinture aveugle*. Montréal, VLB, 1979.

UGUAY, Marie, *Poèmes. Signe et Rumeur. L'Outre-vie. Autoportraits. Poèmes inédits*. Saint-Lambert, Noroît, 1986.

NEPVEU, Pierre, *Mahler et autres matières*. Saint-Lambert, Noroît, 1983.

BEAUSOLEIL, Claude, *Une certaine fin de siècle*. Saint-Lambert, Noroît, 1983.

# CINQUIÈME PARTIE
# LA POÉSIE D'AUJOURD'HUI

### *Les années 1980 et le retour au lyrisme*

Les années 1980 sont marquées par un retour au lyrisme. Le formalisme des années 1970 s'est épuisé. L'écriture des femmes, à partir de 1975, a donné un nouvel élan au lyrisme. Le poète des années 1980 se choisit comme sujet de sa poésie. La vie privée est poétique.

Après l'effondrement des idéologies et la défaite des options indépendantistes au référendum du Parti québécois, la subjectivité s'installe en poésie. Déjà, les femmes avaient replacé l'histoire de l'individu dans l'histoire littéraire. Désormais, l'intime, le quotidien et même le religieux rejoindront les grandes préoccupations de cette poésie dont le mot-clé n'est plus le « corps-texte » des années 1970, mais bien le mot « réel ». C'est avec le réel que le poète confronte sa réflexion et son langage tout en poursuivant sa recherche intérieure.

Car, comme le remarquait Pierre Nepveu en présentant une anthologie de notre poésie dans la revue *Sud* en France, la poésie québécoise actuelle est traversée d'une impulsion métaphysique « qui dit à la fois le désarroi de la conscience moderne et sa recherche renouvelée de réponses aux grands problèmes de la mort, de l'origine, de l'amour ».

# L'intime et le quotidien

Michel van Schendel — Michel Beaulieu
Philippe Haeck — Gérald Godin
Anne-Marie Alonzo — Rachel Leclerc
Jean-Chapdelaine Gagnon — Luc Lecompte
Gérald Gaudet — Suzanne Paradis
Marie Laberge — Marcel Bélanger
Alexis Lefrançois

On peut considérer que le recours au lyrisme s'inaugure en 1980 avec l'édition collective des recueils d'un poète de la génération de l'Hexagone : *De l'œil et de l'écoute, poèmes 1956-1976* de Michel van Schendel (né en France en 1929, installé au Québec depuis 1952), qui publiera ensuite deux nouveaux titres importants : *Autres, autrement* (1983) et *Extrême livre des voyages* (1987).

Pour van Schendel, la poésie est toujours de « circonstance ». Le poème accompagne le fait de vivre. Le poète cherche dans ses textes une sorte d'osmose entre le littéraire et le vécu. Son attachement aux circonstances et aux émotions balise le chemin de l'écriture. C'est ainsi que naît, à partir du quotidien, le chant au cœur des mots.

Le poème devient alors une lettre, un envoi aux autres, de ce qui est vécu. Le poème est une respiration, un parcours, la « cheminure » entre vivre et écrire. La poésie de van Schendel se propose comme un émerveillement continuel, une interrogation de la joie et de la douleur, en même temps qu'une fête du langage, un lyrisme qui passe de l'aveu à l'oracle et qui s'adresse toujours à *l'autre,* comme dans cette « Lettre à une très jeune personne », à l'intention de Marie Uguay, qui sera hélas ! vaincue par le cancer quelques mois plus tard :

> *(...)*
> *Marie mon duvet ma ferrure mon ambre au pli de*
> *l'aisne morte.*
> *Tu te tiens debout dans le lit des maladies,*
> *L'oiseau t'y associe d'une plume bégayée.*
> *Toutes les fleurs prennent racine au creux des volontés.*
> *Nous les aimons de l'épaule à l'épaule*
> *Entre nous*
> *Pour la précision du souci.*
>
> *Montréal, 4 mars 1980*

Le temps et les lieux de l'intime et du quotidien composent aussi la matière poétique de MICHEL BEAULIEU. Son dernier recueil, *Kaléidoscope ou les aléas du corps grave*, publié quelques mois avant sa mort prématurée en juin 1985 à l'âge de quarante-quatre ans, reste un sommet du lyrisme moderne. Chez Beaulieu, villes et visages imprègnent les mémoires de l'enfance et de l'amour de façon saisissante. On lit dans *Kaléidoscope* un grand praticien du poème dont la vision du monde se bat essentiellement contre le temps.

Dans ce livre, le poète s'attache aux couleurs de l'instant avec une intensité d'écriture, un haut lyrisme, une « gravité » qui fait durer le sentiment du quotidien et rejoint les racines de l'enfance. Michel Beaulieu a toujours été un grand liseur de poésie. C'est avec elle qu'il vivait. Son poème s'en ressent : vibrant de tous côtés, nourri des possibilités de la forme, familier comme une conversation, précis comme une passion, lent comme l'amour, vaste de tendresse :

*tu vas*
*tu vaques à tes affaires*
*des paumes scarifiées qu'à contre-jour*
*tu examines les lignes fuient la proximité*
*du départ te rend fébrile et tu marches*
*avec une lenteur inaccoutumée*
*tu n'as pas vu son visage des derniers mois*
*tu ne réponds pas plus à ses lettres*
*qu'il n'existe de réponse*
*à tes interrogations.*

Sur un autre ton et fidèle à la simplicité d'une prose tranquille, un autre poète, PHILIPPE HAECK (né en 1946), s'attache à la vie privée qui, chez lui, reste « politique », c'est-à-dire d'allégeance marxiste. Il est en effet un poète dit « matérialiste », qui s'attache aux faits et gestes familiers et fondamentaux composant le tissu du vécu.

Professeur et critique, il a publié deux essais importants : *Naissance. De l'écriture québécoise* (1979) et *La Table d'écriture. Poéthique et modernité* (1984), où l'on retrouve une vision personnelle, parfois discutable, mais toujours dynamique de la poésie.

On n'a pas assez parlé de la poésie singulière de Philippe Haeck, qui se retrouve sous trois titres : *Polyphonie. Roman d'apprentissage* (1978), *La Parole verte* (1981) et *L'Atelier du matin* (1987).

Cette poésie exprime le vivre familier d'un individu et de sa famille dans leurs sentiments et leurs pratiques quotidiennes. Elle énumère avec une sorte de gravité les détails tristes ou joyeux qui font la vie de chacun au fur et à mesure des travaux et des jours.

Voici d'ailleurs comment le poète de *L'Atelier du matin* se présente devant ses lecteurs :

> *Je suis un écolier égaré, inquiet, distrait. Mes poèmes sont-ils autre chose que les feuilles du grand hêtre près duquel je demeurais immobile attentif à rien et à tout, à leurs retournements et aux miens, des notes pour ne pas passer à côté de la vie, la folie de transcrire une petite musique qui me hante.*

De son côté, GÉRALD GODIN, le poète des *Cantouques* des années 1960, a continué d'élaborer une œuvre singulière qui est passée du « joual » à la langue familière et du sentiment national au sentiment personnel.

Dans ses recueils plus récents, *Libertés surveillées* (1975), *Sarzènes* (1983) et *Soirs sans atout* (1986), le poète est resté fidèle à la langue populaire. Tour à tour ministre du gouvernement de René Lévesque et député réélu de l'Opposition péquiste, Godin tente de faire, comme il le dit : « une poésie familière et simple que tout le monde peut lire, y inclus les gens du comté de Mercier ».

*Soirs sans atout* est un recueil où la poésie témoigne d'une expérience difficile. Opéré pour une tumeur au cerveau, Godin a ressenti en lui le chaos du monde. Dans son livre, le poète raconte avec une émotion contenue sa douleur de convalescent et son désir de vivre. On y entend une voix toute personnelle :

> *je vous écrivais de loin*
> *comme on s'éloigne d'un brasier*
> *je tenais ma plume brûlante*
> *avec des mitaines d'amiante*
> *tellement m'allumaient*
> *vos beaux yeux d'amante*

*c'était l'époque où l'âge*
*n'avait aucune prise sur nous*

L'ensemble de la poésie de Gérald Godin a été réuni en un recueil sous le beau titre *Ils ne demandaient qu'à brûler, poèmes 1960-1986*. On y reconnaît ce poète du quotidien, de l'aliénation et de l'amour qui n'a jamais cessé de se colleter avec le destin du peuple québécois.

Admirateur de Rutebeuf, Ezra Pound et Saeffert, Godin a lié sa parole à celle de son peuple et sa poésie cherche à exprimer à la fois le chaos du monde et la clarté des sentiments personnels. Ainsi ses *cantos* puis ses cantouques nous donnent à lire les diverses étapes de son chant. Peu à peu la voix de Godin délaissera le ton littéraire jusqu'à cette « cette langue verte et populaire » des cantouques. Dans ces poèmes en « joual », Godin s'était oublié pour s'investir de la langue des dépossédés. Le poète a retrouvé ensuite sa voix toute personnelle dans ses derniers recueils, *Libertés surveillées*, *Sarzènes* et *Soirs sans atout*, où s'entend une poésie de l'aveu et du drame personnel.

La poésie de Godin réalise le rêve de tous les poètes : elle est accessible à un large public. Mais derrière cette simplicité atteinte du langage se cache un grand travail des mots et des rythmes. Le poète, pour remonter à l'origine des choses, retrouve la chair des mots. Voilà peut-être pourquoi cette poésie nous émeut tant : sa simplicité compose un chant de l'appétit de vivre.

« En poésie, il faut oser être simple, modeste et familier, dit Gérald Godin. Je ne suis pas un poète de laboratoire. Je suis dans la ruelle derrière. Là où passent les piétons. Je fais une poésie de piéton. Et ce qui me plaît le plus dans la poésie des autres, c'est qu'ils me parlent de choses quotidiennes. »

« Il faut que j'apprenne quelque chose de la culture vécue du monde, quand je lis un poème, ajoute Godin. Ce que savent les pêcheurs de la mer, cela a place dans un poème parce qu'aucun autre livre n'en parle. La poésie est une bibliothèque où l'on peut trouver des mots, des phrases, des livres qu'on ne trouve pas ailleurs. »

ANNE-MARIE ALONZO (née en 1951) a publié depuis 1979 cinq ou six titres qui la placent parmi les poètes les plus originaux de sa génération. Née à Alexandrie (Égypte), elle arrive en 1963 au Québec. Un grave accident l'immobilise, ce qui ne l'empêche pas de mener une vie littéraire très active.

Dès son premier livre, *Geste*, paru aux éditions Des Femmes à Paris en 1979, Anne-Marie Alonzo s'est mise à la poursuite de son écriture comme d'une respiration. Ce premier livre a pour thème le corps immobile. Puis, dans *Veille*, c'est le rêve qui devient un recours vital. En 1985, Alonzo fait paraître au Québec trois livres qui racontent une douleur personnelle. Dans *Droite et de profil* s'inaugure une mémoire intérieure. Avec *Une lettre rouge, orange, ocre*, s'écrit le cheminement d'une indépendance affective. Enfin, dans *Bleus de mine* s'entreprend la réconciliation de la mémoire et du corps. *Bleus de mine* est une suite poétique qui explore le rêve de l'enfance dans le miroir immobile. Ces « bleus de mine », ce sont les bleus de l'âme, mais aussi les bleus de la mine du visage et de l'encre. Le titre du livre explicite la douleur d'écriture contenue dans les textes précédents d'Anne-Marie Alonzo. « Ce texte est le premier pas vers la mémoire intérieure d'une Égypte perdue et retrouvée », dit-elle.

Cette poésie, qui veut reconquérir le sens de vivre par les mots, s'écrit avec des emprunts au formalisme qui donnent ses couleurs et ses mouvements au récit de l'intime. Si elle n'est pas facile à lire, l'écriture d'Anne-Marie Alonzo finit par nous rejoindre par la force de tant de douleur contenue :

*N'écoute de douleur que l'éclat*
*nie ainsi tout reste de fuite.*

*De vie se tissent tourments*
*temps se perd à vivre de peu*
*que tant! se perd.*

*J'hésite vois-tu.*

*Je crie et hurle de tout silence*
*(les mo(r)ts m'attendent et font du bruit leur gage).*

*Je n'ai ressource qu'écrire.*

La poésie sert à vérifier le réel. C'est le doute de vaincre à chaque jour le vide qui nous emporte, qui fait écrire Rachel Leclerc (née en 1955). Dans les proses et les vers de son deuxième recueil, *Vivre n'est pas clair*, Leclerc porte son regard intérieur vers « l'intacte mémoire de soi », vers l'enfance sauvée du monde et vers la joie quotidienne, afin de conserver son « vouloir-vivre » :

*Je veux seulement survivre au naufrage, parvenir à cette plage infinie du sens jonchée de signes encore humides et que le jour se lève sur cette absence qui brandit ses chaînes, pulse et bat sa mesure, je suis la présence aveugle pour le retour d'une enfant si jamais elle revenait et toujours elle revient, distraite, les bras chargés de vocables phosphorescents.*

Cette poésie très personnelle veut combattre le désastre d'un monde qui se défait. Rachel Leclerc veut nous rappeler que la vie se perpétue à même nos gestes et nos émotions reconnus :

*Ainsi tous passés dans demain*
*savons-nous déjà que rien n'est inscrit*
*ni personne dans le ciel blanc boréal*
*sinon la figure en nous de quelque vide*
*pour y déposer trois ou quatre mystères*
*par quoi se reconnaîtra l'autre*

De son côté, dans un langage toujours sobre et parfois sombre, JEAN CHAPDELAINE GAGNON (né en 1949) cultive la description lyrique des corps et des atmosphères. Cette poésie aborde l'intime et le quotidien par la métaphore du langage. Dans ses récents recueils, *Langues d'aimer* et *Le Tant-à-cœur*, le poète prend prétexte d'une réflexion sur les mots pour aborder le langage des sentiments et des corps. Il parle des « langues du cœur comme celles du sang » :

*Dis-moi les mots qu'il faut*
*Ceux-là découpés comme à même la peau*
*Arrachés aux restes du cœur*
*S'il en reste un lambeau*

LUC LECOMPTE (né en 1951), pour sa part, écrit une poésie qui veut photographier le spectacle des corps et des objets quotidiens. Dans *Ces étirements du regard*, le poète veut redonner ses formes et ses sensations à la vie familière. Son poème cherche un au-delà du réel, si l'on peut dire, dans un lyrisme discret :

*L'entracte des nappes. Ces froissements soignés. Les creux tissus appellent les oranges. Cela s'intitule : le fruit. J'entrevois le sillon bleu. Une ombre mamelonnant le drap, j'écoute, incurvé.*

Avec le premier recueil de GÉRALD GAUDET (né en 1950), *Lignes de nuit*, nous voici dans les « zones du tendre » où sont évoqués les secrets et les sentiments d'un quotidien amoureux. Le poète se défend de la passion et, pour conserver les joies de l'intime, s'en remet à la tendresse comme condition de survie. « Le détachement sera ma tendresse exacte », conclut-il. Écrit dans un langage déjà maîtrisé, ce premier recueil veut aller au bout du sentiment amoureux. Une histoire des corps s'y déroule, toute en nuances et fragilités, qui est aussi une histoire d'écriture :

> *Il y aura notre histoire à se raconter, à ne pas dire dans le bleu foncé des nuits : batailles des lignes /fracas des linges, grammaire démontée de nos torses qui s'agitent pleins de confidences avec l'intention* très *louche de ne pas confier le texte trop intime de nos remous.*

Cette voix personnelle de Gérald Gaudet vient nous rappeler les liens privilégiés qu'entretient la poésie depuis toujours avec l'intime et le quotidien.

Le nouveau lyrisme des années 1980 permet aussi la réapparition de certains poètes dont l'œuvre, commencée dans les années 1960, a atteint la maturité. Écartés de la scène par la vague formaliste et le courant « textuel » des années 1970, ces lyriques reprennent discrètement leur place.

SUZANNE PARADIS peut donner à sa poésie romantique un élan renouvelé, avec son recueil intitulé *Un goût de sel* (1983). Ici, le ton se fait plus simple et direct, le regard s'attarde aux paysages de la ville et s'attache au quotidien :

> *Tout ce qu'il y a sur la table et même le pain, le*
> *poivre et les poires ; les sachets de thé, la*
> *respiration d'une lampe, tout défie l'envers de mes*
> *mains et dessine des nœuds et des boucles qu'il*
> *faut trancher avec les dents.*

MARIE LABERGE (née en 1929), dont la poésie accompagne son œuvre de peintre depuis *Les Passe-*

*relles du matin* (1961), a réuni en 1982 la plupart de ses poèmes sous le titre *Aux mouvances du temps, poésie 1961-1971*.

Cette poésie, qui s'est faite à l'école de la révolte, en arrive à affirmer la joie de vivre avec une fraîcheur de ton qui se rapproche de la parole quotidienne :

> *Nous ne serons plus jamais les mêmes*
> *Ressuscités de la joie à jamais délivrés*
>
> *Nous revenons d'un si morne voyage*
> *des antres de la nuit des abysses du temps*
> *où nos regards se sont croisés*
> *l'éternité d'une aube*
>
> *Pour vivre aimer*
> *et devenir ce que nous sommes.*

Le lyrisme de Marcel Bélanger (né en 1943) met en scène la condition de celui qui écrit et se voit écrire. Son œuvre, qu'il a réunie sous un seul titre, *Strates. poèmes 1960-1982* (1985), se nourrit de fulgurances lapidaires qui interrogent désespérément l'acte d'écrire :

> *le cristal d'un pur silence*
> *éclate de cris audibles*
> *à la fréquence d'infini*
>
> *le rayon de la mort à distance de soi*
> *frappe la cible où l'œil tournoie*
> *nous atteint par-delà murs rocs mers*

Alexis Lefrançois (né en 1943 en Belgique, éduqué en Allemagne, il choisit le Québec comme port d'attache entre Bruxelles et Dakar) est né à la poésie avec un premier titre, *Calcaires* (1971), qui fondait en quelque sorte les éditions du Noroît. En 1984, le centième ouvrage de la maison réunira l'ensemble de la poésie de Lefrançois en deux volumes sous le titre : *Comme tournant la page.*

Le poète Lefrançois possède deux tons : celui du lyrisme pur et celui de la jonglerie burlesque. Dans *La Tête* et *La Belle Été*, voici des jeux de mots et des histoires drôles pour son fils Nicolas :

*Pleuri pleura*
*pleurez*
*c'était la triste vie*
*d'un petit coco râpé.*

Mais dans *Calcaires*, le poète avait choisi l'amplitude du chant :

*Je parle au nom d'un glacial orgueil*
*au nom d'une élégance haute*
*plus loin que les colères les clartés et les deuils*
*qui célèbre son faste dans le croc blanc du fauve*
*et l'aile du rapace quand il foudroie le jour*
*et pour ce jeune loup que les chiens enfermèrent*
*et cet enfant trop doux détourné de son cours*
*appuyant sur le roc son règne insoutenable*
*je nomme le mépris serein comme un couteau.*

Les poèmes de *Calcaires* et de *Rémanences* sont nés de séjours en Grèce. Devant la beauté méditerranéenne, le poète pose la question métaphysique.

Par ailleurs, d'autres textes, qu'il appelle « les petites choses », ont surgi à Montréal de la toile de fond que sont devenus les événements d'Octobre 1970. On y reconnaît un poète attiré par la langue populaire comme on verra plus tard l'amoureux fou des mots dans les jongleries de *La Belle Été.*

Selon ses itinéraires, Alexis Lefrançois questionne la beauté du monde et la richesse du quotidien.

# « La séduction du romanesque »

ÉLISE TURCOTTE — LOUISE DESJARDINS
LOUISE WARREN — MICHAEL DELISLE
JEAN-PAUL DAOUST — JACQUES BOULERICE
PAUL CHANEL MALENFANT

Les poètes des années 1980 semblent vouloir intégrer au langage leur environnement physique et leur personnalité psychique. Leur poésie se réfère aux arts : musique, cinéma, photographie, peinture, installation d'artiste. Les poètes d'aujourd'hui font très souvent de leur poésie un théâtre ou un récit, dans l'élaboration de scénarios ou de gestuaires qui tentent de réconciler le travail du désir et celui de la pensée.

Après s'être intéressés à la manière de produire des effets de textes, voici que nos poètes s'attachent à la manière de produire, d'inventer et d'habiter l'imaginaire. Leur poésie, intime ou personnelle, multiplie sans mot d'ordre la quête de l'identité.

Afin d'explorer cette tendance des poètes vers la forme narrative, le directeur de la revue de poésie *Estuaire*, Gérald Gaudet, proposait à l'automne 1985 le numéro 37 de sa revue sous le thème de « la séduction du romanesque ». Le poète d'aujourd'hui cherche à noter des moments du vécu, écrivait Gaudet. « Ce qui insiste et s'insinue comme phantasme et comme obsession de ce trajet de l'intime, c'est l'appel du récit. »

Certes, le parti pris narratif marque l'ensemble de la poésie québécoise des dernières années. Mais on peut regrouper à l'enseigne de « la séduction du romanesque » certains poètes qui aiment particulièrement pratiquer la prose et dont les œuvres participent autant du récit que du poème.

D'entrée de jeu, ÉLISE TURCOTTE (née en 1957) a fait de sa poésie des fragments de prose où la fiction joue avec la mémoire. Son premier recueil a pour titre : *Dans le delta de la nuit* (1982). Puis, dans *Navires de guerre* (1984), elle raconte la passion déçue d'une enfant dont le rêve amoureux s'est finalement traduit dans les mots, ces « navires de guerre ». Nous y lisons l'histoire d'un « excès d'amour » qui déborde dans la poésie d'un livre.

Dans *La Voix de Carla* (1987), long poème narratif, voici qu'une femme écrit son destin, son rapport au langage et au monde. Sur sa table, des notes pour un roman. Puis sa voix nous confie par fragments — par *flashes*, comme au cinéma — les éléments de son univers. Élise Turcotte continue d'explorer les rapports de l'écriture et de la passion de vivre et son poème n'est certes pas loin du récit :

> *Disparaître ! La densité qui se lève comme un vent sur les toits. Il y a le vent, il y a l'unique folie de ne plus s'habiter. Tenir des inconnus dans ses bras. C'est la surface lisse du langage. Cela pourrait prendre la forme d'une attente, dans un bar, à la tombée de la nuit. La couleur du regard sur la nappe blanche. L'explication sur des feuilles dactylographiées. Une sorte de repère, un déguisement avec des lèvres qui s'écartent.*

Sur un ton différent, LOUISE DESJARDINS (née en 1943) fait un travail qui voisine celui d'Élise Turcotte. Dans son livre intitulé *Les Verbes seuls* (1985), circulent des amants. Lui, l'éternel absent d'après l'amour. Elle, qui a « l'air de sortir d'un mauvais roman ».

Le plaisir érotique et la douleur de la passion tissent le propos du livre dans une écriture précise, aérienne, en jeux de miroirs qui réussissent à capter notre émotion sinon à nous séduire par moments. On aime cette liberté que prend Louise Desjardins à défaire l'amour dans les mots. « Des petites solitudes se promènent dans un peu d'air » : voilà bien le propos de ces histoires en forme de peine d'amour.

Chez LOUISE WARREN (née en 1956), c'est plutôt le désir qui devient l'objet du récit poétique. Dans *L'Amant gris*, puis dans *Madeleine de janvier à septembre*, le quotidien amoureux se déroule sans lyrisme, comme une photographie, sur un ton qui colle aux circonstances tout en gardant ses distances avec les sensations et les sentiments évoqués. Parfois, le rêve se mêle aux souvenirs.

Les récits de Louise Warren font appel à l'enfance et à l'éros. Ils suggèrent les chemins du désir. Rarement a-t-on entendu une voix aussi proche et lointaine à la fois, un ton aussi intime que secret, qui intègre parfaitement le récit au poème comme dans *L'Amant gris* :

> *Tu ne sais pas grand-chose*
> *de moi. Tu connais le goût*
> *du vin laissé sur ma langue mais tu n'as pas goûté à ma bouche*
> *gonflée de sommeil. Tu sais*
> *que la nuit je vois des serpents et des flèches*
> *sur les murs de ma chambre et j'entends siffler*
> *des trains.*
> *(...)*

Louise Warren écrit une poésie *visuelle*. Pas étonnant qu'elle ait fait paraître deux autres ouvrages poétiques portant sur les rapports qu'elle entretient avec l'art (la peinture, la photographie) et le réel : *Comme deux femmes peintres* et *Écrire la lumière*. Ce dernier titre nous propose, photos à l'appui, un voyage dans un imaginaire qui ne cesse de réinventer en parallèle une enfance et une vie érotique : « Cela n'a peut-être pas été : le passé, c'est de la fiction », conclut l'auteure.

MICHAEL DELISLE (né en 1957) cultive, lui aussi, « la séduction du romanesque ». Après quelques plaquettes d'apprentissage publiées ici et là (*L'Agrandissement*, *l'Extase neutre*, *Faire mention* ), il fait paraître *Mélancolie* (1985), un poème en prose réunissant une dizaine de textes qui en font déjà un des poètes les plus remarqués de sa génération.

*Mélancolie* a été réédité précédé d'une autre suite, *Les Changeurs de signes*, qui s'attache plutôt au sentiment de la langue. Les proses de *Mélancolie* ont un accent de vérité pour exprimer cette « mélancolie de fin du monde » et de fin de soi qu'il faut écrire pour l'oublier. Michael Delisle nous en donne le sentiment exact, sur un ton qui est celui du journal intime. Mieux que d'autres, Delisle réussit à investir la forme du journal jusqu'à la poésie :

> *(...) Nous écrirons donc, seuls. Et pour toute pause, et la nuit seulement, on réécoutera les petites chansons de notre enfance, un peu débilement, un peu émus, et on prendra en charge un nouveau chapitre à la mémoire de l'Occident, avec pour tout bagage, cette immense tristesse, qui ne durera que le temps d'en parler. Nous sommes en janvier, c'est l'après-midi, et nous ne savons qu'une chose, c'est que, présentement, la mélancolie fait sens.*

Cette écriture de Michael Delisle trouvera sa continuité émouvante dans une « fiction » où le récit et le poème se croisent à partir du labyrinthe de l'enfance : *Fontainebleau* (1987) :

> *gratter des X gras dans le temps pour désigner son carré sa borne sa carte, ça et vandaliser pour assouvir des pulsions de signature sur la pierre ou la brique, imprimer nos mains boueuses, nous avons possédé un signe, convaincus, maintenant nous resterons*

La mélancolie du dandy, on la retrouve particulièrement dans *Dimanche après-midi* (1985), un recueil de JEAN-PAUL DAOUST. Le poète y raconte des souvenirs d'enfance : la mort du père et le désœuvrement dans la solitude du dimanche, les premières rencontres et les premières grandes peines :

> *Dans ces dimanches après-midi les souvenirs suffoquent*
> *Ce mal de vivre*
> *Détaché*
> *Le bleu éclate nuage chauffé à blanc*
> *Au fond des yeux on pourrait lire des romans plutôt tristes*
> *Que de vies mal faites*

Il y a dans ce livre un ton irrésistible, une confidence sentimentale qui fait appel à nos propres tristesses. Une certaine litanie s'installe — encore ici comme dans tous les livres de Daoust — mais la complainte reste contenue dans un langage mieux maîtrisé et travaillé que celui de certains autres livres du poète. Car, il faut le dire, Jean-Paul Daoust ne cherche pas trop à «textualiser » — selon la manière des théoriciens de la NBJ. Daoust est plutôt un dandy qui se souvient du baroque. Son langage ne cherche pas tant la densité des alcools que la légèreté des bulles de champagne. Souvent, son écriture voudrait se faire chanson pour l'émotion immédiate.

JACQUES BOULERICE, pour qui « la vie n'est pas d'abord une histoire de cœur mais une histoire de parole », écrit des poèmes en prose comme des fables. Le personnage en serait un adulte en quête d'« une autre enfance », d'une autre « réalité » perdue et retrouvée au fond de soi, dans le quotidien, dans la ville, dans les parcs ou au bord des rivières. Dans le recueil de Boulerice, intitulé *Apparence* (1986), on croirait entendre un nouveau Félix Leclerc des années 1980. Le poète, ici, est en tout cas attentif aux instants de la vie où le rêve nous donne des morceaux d'éternité, dans des complaintes en prose ou dans des vers qui pourraient se mettre à chanter :

> *(...)*
> *Des femmes écoutent*
> *plus bas que les cris des camelots chauves*
> *le chant de la rivière qu'elles traversent depuis toujours*
> *des hommes aussi attendent la nuit,*
> *le doux délire d'avant la délivrance.*
>
> *Sur l'étroite passerelle*
> *qu'on nomme la vie, la vraie vie,*
> *des hommes et des femmes marchent toujours*
> *entre l'éther et l'oubli.*

Dans une écriture plus complexe, PAUL CHANEL MALENFANT poursuit, depuis son recueil intitulé *Le mot à mot* (1982) et dans une poésie qui se méfie du ton du journal intime, une œuvre qui n'est pourtant pas étrangère au romanesque. Il tente, lui aussi, de retracer un itinéraire qui prend racine dans l'enfance. Le poète veut traverser sa propre image en reconstituant les figures du père et de la mère à l'origine du langage. À cet

Alexis Lefrançois

Anne-Marie Alonzo

Louise Warren

Michael Delisle

égard, son recueil *Les Noms du père* suivi de *Lieux dits : italique* (1985) reste un livre admirable. De même que la plaquette intitulée *Coqs à deux têtes*, où le poète recrée à même le langage l'univers des chansons, comptines et charades de son enfance — comme quoi le rapport au langage et à l'écriture passe par la relation au père et à la mère.

Mais c'est dans un autre recueil, *En tout état de corps* (1985), que Paul Chanel Malenfant inaugure une voix vraiment personnelle. Le poète réussit ici à intégrer en un langage ému ses thèmes et ses mots, ses rythmes et ses images. On reconnaît alors un enfant — devenu homme — face à son destin, paré du langage contre la mort et contre le père.

Car on aura enfin compris que le poète, à travers les thèmes de l'écriture, du corps, de l'enfance et de la mort, était un fils privé de la langue du père et « coupable » d'un désir soumis à la langue de la mère. Écoutons le poète raconter ses souffrances d'enfant dans une prose souveraine :

> *La fiction de l'enfance et l'exacte pensée de ma peau. Saveur de poivre, hiver d'épices sur le col. Tout seul je me parle tout bas. Diction des dahlias, de la chair à canon d'un souffle unique comme unseuldieuentrois personnes. Je ne sais plus si le monde m'étreint ou m'étouffe et l'idée me vient de la mort quand j'entends « dans les siècles des siècles ». Il tremble en des effrois de laitue et de dimanche. Acte manqué: qui donc, mon père, me prend les mots de la bouche ?*

## Le langage et le réel

Paul-Marie Lapointe — France Théoret
Francine Déry — Carole David — Louise Dupré
Normand de Bellefeuille — Michel Leclerc
Nicole Brossard — Paul Chamberland
Yolande Villemaire — Claude Beausoleil

La poésie est une aventure de langage — on le sait. Elle est aussi une façon d'apprivoiser le réel — ce qui n'est pas si évident. D'abord, qu'est-ce que la poésie ? quel est ce langage ? et de quel réel voulons-nous parler ?

Selon René Char, avant d'être expression, la poésie est d'abord « la connaissance productive du réel ». « Productive, commente Georges Mounin, parce qu'elle nourrit l'homme, qu'elle lui restitue un aliment essentiel de son équilibre psychologique, le goût émotionnel du monde, qu'il rêve de ne jamais cesser de percevoir »[12].

En somme, la connaissance poétique, qui est une connaissance émotionnelle (dont le savoir n'est certes pas exclu), accomplit — par son langage même — la quête ontologique du poète et lui donne cet « état de grâce » où il se sent enfin en rapport avec le monde.

---

12. Mounin, Georges, *La Communication poétique*, précédé de *Avez-vous lu Char?* Paris, Gallimard, 1976, p. 115.

Mais le réel des années quatre-vingt, il est plus que jamais éphémère et fuyant. Comment le rattraper ? En composant la fiction d'une mythologie personnelle, semble-t-il. « Le formalisme des années quatre-vingt peut être décrit comme l'expérience subjective d'une réalité purement formelle », explique Pierre Nepveu dans un article sur « la chasse au réel » dans la poésie québécoise contemporaine (*Écrits du Canada français*, n° 61). Devant une réalité devenue inflationnaire, « le seul guide demeure la subjectivité, l'intuition, le sentiment à la fois pyschique et physique de plaisir ou de souffrance ». Il reste au poète de s'enthousiasmer pour la forme, dans « une totale liberté à la fois enivrante et déprimante, permettant à la conscience d'errer parmi les choses et les événements, de rassembler ici et là des fragments d'expérience », conclut Pierre Nepveu.

On en arrive ainsi à une sorte de célébration du monde imaginé à travers l'écriture, ou à une expérience de la douleur de son propre destin dont le poème reste le témoin et la mémoire.

En somme, les poètes formalistes des années quatre-vingt, tout en ne reniant pas la subjectivité, tentent d'appréhender le réel — si difficile à atteindre — soit dans un jeu de langage soit dans un constat de désastre du monde. Chez ces poètes, le langage se voit attribuer, comme en laboratoire, le rôle de *révélateur* qui définirait un rapport nouveau à ce qu'on nomme le réel.

D'ailleurs, on peut dire qu'une bonne partie de la poésie québécoise de cette décennie, tant chez les poètes lyriques que chez les poètes dits formalistes, a repris pour thèmes le langage et le réel. Chez certains, le langage est un lieu de béatitude. Chez d'autres, il désespère de la réalité. D'autre part, chez des femmes poètes, le langage a pour mission de changer la relation de l'individu au réel.

Mais d'abord il faut dire que la poésie des années 1980 ne doit pas tout au lyrisme. Elle a aussi fortement été ébranlée par une remise en question radicale de nos rapports avec le réel et avec le langage. Cette entreprise est celle de PAUL-MARIE LAPOINTE dans les deux tomes d'*écRiturEs* (1980). On y retrouve neuf sections désignées par une des lettres du titre. Les huit premières comprennent chacune cent textes alors que la dernière en réunit trente-six, suivis de cinquante-deux calligrammes non figuratifs intitulés « Dactylologie ».

Dans le *Vierge incendié* (1948), la révolte se manifestait au plan du langage. Le sens éclatait dans le foisonnement et l'affrontement des images, comme chez les surréalistes. Dans *écRiturEs*, nous voici « hors du sens ». Lapointe *cède l'initiative aux mots*, dans une « remise en question de leur fonction d'usage ». Ses textes, issus de jeux et de contraintes diverses, s'opposent radicalement aux discours connus.

« Le poème ne veut plus rien dire », avait écrit Lapointe dans la revue *NBJ* en 1977. Nous voici devant ces pages où s'inventent des textes hors du Je et de l'intention de l'auteur. « J'ai décidé d'aller au bout de la forme et d'essayer d'éliminer toute subjectivité. Pour que l'écriture devienne une révolte de la langue même contre le discours habituel, dit Lapointe. C'est une révolte à l'intérieur même du langage. Je n'ai donc pas pris mes mots. J'ai éliminé toute possibilité de créer un discours cohérent qui puisse être comparé à une façon qu'on a de parler ou d'écrire normalement ».

« Au lieu de prendre les mots un par un et de leur faire un sort, continue Lapointe, au lieu de décider que le monde est construit à partir de ta conception, tu les laisses venir à toi et s'aligner les uns après les autres ».

Lapointe a donc écrit à partir de mots croisés, par exemple, de mots qui n'étaient pas utilisés à d'autres fins que celles du jeu. Il les choisissait selon un ordre prédéterminé.

« Je voulais voir ce que les mots ont à dire du monde », a confié Lapointe à l'occasion de la publication d'*écRiturEs*. Il a en effet inventé, comme il dit, « une machine à imaginer le monde ». Son refus du sens donne des textes qui composent un nouveau miroir du réel.

Choisissons de lire au hasard un de ces textes :

*piécette tranquille roule en secret*
*dans les rues dans les rêves*
*amasse un corbeau trésor printemps croasse*
*gerbe charbonnière un peu de chaleur*

*samedi dans l'ombre pousse un drapeau*
*drap lustré rose à floralies obésité soudain*
*stabilité désert enfant gracieux pompon*

*petits yeux de la taupe à poil sombre*
*souterraine aux galeries pattes pelleteuses*
*à l'année longue chasseuse*
*vers blancs insectes musaraignes*

*que dévores-tu ? lumière là-haut mère des dieux.*

On est loin du langage automatiste du *Vierge incendié*. On lit ici une mécanisation du langage qui demeure sans réplique, comme une sentence irréfutable du réel par le biais de l'humour.

De deux choses l'une. Ou bien ces textes ébranlent notre confiance au réel (comme ceux du *Vierge incendié* ). Ou bien c'est le «réel absolu» qui ébranle ici le langage. On pourrait parler en tout cas d'une certaine adéquation d'un réel et d'un langage dans une liberté totale.

L'entreprise de Paul-Marie Lapointe a été mal reçue par la critique en général. On trouvait stérile ou gratuit l'effort de liberté d'*écRiturEs*. Mais ne faudrait-il pas voir aussi dans cette œuvre le désarroi de notre monde, le réel discontinu dessiné par les jeux mêmes du langage, qui remplacent le Je du poète. Ainsi dans l'univers des mots d'*écRiturEs* transpire le chaos de notre monde.

« Écrire demande quelqu'un à la pointe des mots », dit, au contraire, FRANCE THÉORET, dont l'écriture s'est mise à la recherche d'une voix de femme. Ainsi, dans *Intérieurs* (1984), il ne s'agit pas pour elle de parler de la ville pour la ville, du sexe pour le sexe ni du texte pour le texte, mais bien plutôt d'habiter le silence du décor, d'incarner cette voix qui se cache ou se perd sous les décombres d'un lieu dévasté : « Femme, qu'as-tu fait du lieu clos, qu'est devenu ton intérieur ? » C'est la question de ce livre brûlant.

Nous voici devant « une vaste demeure délabrée ». Le feu a dévasté les lieux. La femme ne peut plus dormir au-dessus du vide. La mémoire doit agir. La voix doit l'emporter sur le « silence sauvage » de la nuit.

Mais dans cette œuvre, « ce n'est pas un sujet constitué qui écrit: c'est plutôt l'écriture qui permet au sujet de se constituer », a justement remarqué Louise Dupré dans le numéro 38 de la revue *Estuaire* consacré à France Théoret. « L'écriture devient donc un lieu où l'on puisse trouver sa langue, retrouver son corps », précise Louise Dupré.

Seule, la femme doit réinventer le lieu même de sa présence, se refaire un langage, se redéfinir un espace privé, se donner une voix. Mais cela n'est pas si simple. Les « intérieurs » revisités, le livre se déploie dans un réseau de correspondances : le corps et le langage, la matière et le mouvement, la solitude et le sommeil, la mémoire et le rêve.

Dans une suite de textes qui s'échangent la forme d'un récit à froid et celle d'une poésie litanique, France Théoret décrit l'angoisse devant un « intérieur » dévasté. Elle inscrit une voix de femme, celle de la « refoulée des âges antérieurs ». Au-delà des silences et des violences, une femme cherche à retrouver la mémoire de son être. Car voici la voix de l'identité féminine :

> *Des silences obscurs m'ont fait devenir cette femme intérieure au rêve avalé, poursuivie, figure nodale, traversée par la violence passée, endettée par une mémoire commune. Elle vient d'où il fut demandé l'immobilité, la reproduction, le rien, elle perd son corps forcée par un désir ravageur. Que sont nos forces réelles ?*

FRANCINE DÉRY nous propose des récits poétiques aux préoccupations différentes. Dans *Un train bulgare* (1980), comme dans son premier recueil intitulé *En beau fusil*, elle se révoltait contre les abus de langage d'un monde ancien dont la femme n'était que la muse ou la statue. Dans *Le Noyau* (1984), elle réussit à voyager à même la pulsion des mots et la beauté éclate.

Ce livre nous entraîne « de l'autre côté des portes ». Nous risquons les vertiges du voyage de l'eau et « la noyée transporte le manuscrit vaillant de l'onde ». « Au centre du mot un lac », écrit Francine Déry, qui entreprend de « parvenir à la source du corps ». À la fois « barque et passagère », elle refait la genèse de son désir et de son écriture. Cinq récits poétiques nous y invitent : « Savoir en tirant la chair jusqu'au bout du verbe. Écumer femme au fil des pages ».

Femme ? Il y a celle de l'autobus. Il y a celle de la fenêtre. Elles voyagent dans leur tête et jusqu'au bout de leurs fantasmes. « Je n'ai qu'une envie m'échapper. Qu'un désir les abattre tous », dit la première. « Communiquer avec la trousse insolite de ma création barbare », dit l'épilogue.

La voix unique de Francine Déry cherche à « s'abattre dans sa propre sonde ». Ce voyage difficile au fond des mots se fait le plus lucide et violent en même temps que l'ironie colore la traversée.

CAROLE DAVID, pour sa part, dessine une des figures du féminin que la littérature des dernières années avait presque mise de côté et qui pourtant fait partie « du continent noir de la fiction des femmes » : celle de la prostituée. Qu'elle soit mère, fille, sœur ou amante, la prostituée reste le sujet de *Terroristes d'amour* suivi de *Journal d'une fiction* (1986).

Pour écrire le « corps romanesque » de ce personnage public, Carole David a fait appel à des stéréotypes (des romans Harlequin, entre autres), à des genres comme le ciné-roman (à la manière de Robbe-Grillet) et aux ressorts du structuralisme. Elle explique son cheminement dans *Journal d'une fiction*.

Quant aux poèmes — fragments en surimpression du récit inachevé d'une vie — ils naissent d'une prose complexe et mettent donc en scène le « corps romanesque » de la prostituée, qui nous apparaît avec ses parfums, maquillages et vêtements : image bien découpée du désarroi et vue de l'intérieur par l'écrivaine. Cette « poésie », fort documentée et nourrie des ressorts du récit, a le mérite de nous présenter un personnage presque inédit dans la littérature des femmes et des autres :

*Elle grandit sans même en parler à personne quand le désir devient luxe dangereux. Impossible d'oser dire son nom, tant ses membres sont affaiblis.*

*Lèvres blessées, bouche coupée.*

*Et puis sur le trottoir, elle est libre et rêve d'un manucure dans la douceur de la canicule.*

D'autres poètes explorent la relation du langage et du réel à travers les figures et le sentiment de la langue. « Or, qu'arrive-t-il au langage par la langue ? », avait demandé Michel Deguy. LOUISE DUPRÉ (née en 1949) et NORMAND DE BELLEFEUILLE (né en 1949) ont écrit ensemble, sur ce sujet, un magnifique petit livre dont le titre, *Quand on a une langue on peut aller à Rome* (1986), leur vient d'une réponse de Germaine Roussel, analphabète, à Marguerite Duras qui lui demandait s'il lui était difficile de circuler dans une grande ville comme Paris. Réponse ambiguë qui pose de nouveau la question. Voilà le point de départ d'une correspondance entre Normand de Bellefeuille, en voyage à Rome dans une autre langue, et Louise Dupré, en exil dans le « lieu figé » de ses seuls mots à elle.

Un texte s'élabore entre les deux, mais de connivence, pour interroger le sentiment de la langue à travers les mythes et les figures. L'absence de l'un, l'attente de l'autre font voir les fissures par où passent les mots. Une correspondance s'établit entre la ville et la langue, ces deux lieux que nous habitons trop souvent sans y penser. La ville, est-ce la Rome « ouverte et découronnée » du Colisée ? Est-ce Babel « décapitée » ? La langue, est-ce la voix, celle du père ou de la mère, celle qui se parle malgré soi, celle du sexe et du fou rire, celle qui prend la pose hiératique du crucifié, celle qui épouse « le chiffre de l'immortelle Béatrice » dans l'amour — ou cet organe de dix-sept muscles qui vient à manquer mais qu'on retrouve quand on parle avec ses mains ?

Il y a aussi « la dernière image », celle du « désastre », de la « langue blessée » de l'enfant « seule devant la mort » mais qui rit. Il y aurait la confusion sonore de Babel, la musique « d'une langue qui ne résiste jamais à ses vertiges ». Car Babel, « chambre haute et confuse, passe d'abord par l'oreille ». Il y aurait alors la folie d'un peuple — « car il y a des minorités éternelles — livré à ses extravagances pour s'assurer d'une vague survie... » Il y aurait la nostalgie du « sens absent » et le besoin de « nouer et dénouer la fiction de l'univers. Retrouver demain la langue, une matière, heureuse entre les dents ». Il y aura écrire : « faire durer un peu plus les signes, les phrases. Sortira-t-on jamais de l'attente, de l'inévitable dispersion ? »

Dans *Catégoriques un deux et trois* (1986), un livre qui tient autant de l'essai que de la poésie, Normand de Bellefeuille a composé une sorte d'hymne à la création et au corps amoureux. Le poète fait appel ici à des réflexions sur la musique, la danse et la peinture pour provoquer une sorte de *lévitation* du corps dans l'amour de vivre. Ces fragments de grand style ne dédaignent pas la sensualité, au contraire d'une certaine poésie matérialiste, tout en réunissant, cette fois, la philosophie et la réflexion sur l'art à la question ontologique de la poésie. Ce livre savant, qui cite Platon, Pascal et Michel Serres, entre autres, en plus de s'inspirer de quelques théoriciens à la mode, trouve son « lyrisme » dans une certaine incantation, dans une ritualisation du texte. L'auteur répète et retourne des morceaux de texte de manière à provoquer la mémoire et la réflexion autant que l'effet « physique » de la lecture. *Catégori-*

*ques*, mieux que d'autres textes de l'auteur, se présente comme une machine à *penser* l'émotion :

> *(...) Cependant, chaque image désencombre un peu le monde entier. Chaque nouvelle image, un deux et trois, loin d'ajouter au répertoire des figures, l'en soustrait au contraire, nous rapprochant chaque fois un peu plus de cette fin dont il ne nous restera alors que la forme à imaginer, désuète déjà, aussitôt elle-même se niant à la vitesse exacte de son propre avènement. C'est pourquoi — jusque-là — chaque image désencombre un peu le monde. (...)*

Pour MICHEL LECLERC (né en 1952), « la poésie est un corps de savoir qui a pour but de recréer l'unité de l'homme ». On ne peut donc pas évacuer de la poésie le sujet qui parle, comme l'ont prétendu les formalistes des années 1970. D'ailleurs, Michel Leclerc s'est toujours tenu à l'écart des mouvements et des modes littéraires, structuralistes ou autres, afin de préserver sa liberté de poète. Ce qui explique peut-être qu'on n'ait pas beaucoup parlé de son troisième recueil, *Écrire ou la disparition* (1984), qui reste pourtant un des livres les plus importants de la poésie actuelle.

De l'aveu de son auteur, « ce livre est le récit d'une obsession : le langage ». Voilà donc le sujet de ce recueil bien mallarméen : une réflexion sur le langage — le poème — en train de se faire. Est-il possible de dresser une écriture pour comprendre le langage ? C'est ce que Leclerc s'est demandé, en écrivant un livre où se rencontrent deux langages, celui de la poésie et celui d'un discours critique.

Dans ce livre, le poème se propose comme « la figure implicite et mouvante d'une énonciation théorique plus brutale ». Sur les pages de droite, des textes qui mènent à bout des sujets de la réflexion moderne à partir de Mallarmé, Proust, Barthes ou Blanchot : « Sur le vide papier que la blancheur défend », « Les mots de la partition », « Le silence sur la banquette », « L'obsession graphique », etc. Sur les pages de gauche, des poèmes qui se mettent en rapport avec « la bibliothèque de l'intellectuel » et qui composent le nouveau « corps paré » des mots. De sorte que d'une page à l'autre se dessine devant nos yeux le récit de l'auteur écrivant le livre.

Quand il intitule son recueil *écrire ou la disparition*, Michel Leclerc se réfère à « la disparition élocutoire du poète, qui cède l'initiative aux mots », selon Mallarmé. Mais il s'en prend aussi à la disparition d'un sujet qui est fragmenté, brisé, effiloché par la société et les pouvoirs. Car, pour Michel Leclerc, le poète a l'obligation de témoigner par l'écriture que le sujet peut cesser d'être un individu minoritaire, dans la mesure où il prend possession du langage, donc de sa liberté.

Lisons le poème-titre :

> *j'écris pour disparaître hors du vacillement des messages, les mots s'avancent dans mes nerfs avec la lenteur apaisée de l'évidence, j'éprouve en moi je ne sais quel langage — la banalité refoulée d'un récit éclairant l'épaisseur des mots, la nappe dérivante d'une parole abolie et comblée (blessée par l'ennui qui la porte changée par la détresse qui l'annonce) — aucun muscle aucun fragment du corps ni la violence ni le rire ni la durée des mots n'opposent au monde l'envie obsédante de sa fuite seule disparaît, dans l'impossibilité du langage, la recherche absolue du silence*

Et lisons aussi les dernières lignes du texte qui fait face à ce poème et s'intitule « Le silence sur la banquette » :

*Peut-être qu'entraîné par ce vertige qui me pousse à écrire j'aboutirai au silence, j'arriverai, peu à peu, sous l'avancée flottante du texte, à me soustraire à l'échange. Écrire m'est une feinte : tendu vers le regard de* l'autre, *capté et contemplé par lui, je disparais ailleurs, sur la paume émiettée du silence d'où j'écris comme si j'étais mort.*

En fait, le poète veut inscrire, comme il dit, « dans le langage le silence intenable du corps ». Certes, le thème n'est pas nouveau, mais il maintient la « modernité » de la littérature, depuis que les poètes inscrivent en marge de leurs poèmes cette réflexion sur la poésie. Et Michel Leclerc a porté très haut la réflexion sur l'écriture et sur la lecture dans *Écrire ou la disparition,* un livre qu'on devrait bientôt reconnaître comme un ouvrage essentiel de l'histoire littéraire des dernières années.

Retenons, pour l'instant, ces propos que Michel Leclerc confiait à Gérald Gaudet pour la revue *Estuaire* (numéro 34) et qui éclairent son travail de poète :

*« Aujourd'hui, la poésie, pour moi, c'est ce qui ne peut être évité. C'est une sorte de passage obligatoire vers l'existence. C'est ce qui me rend la vie possible, c'est-à-dire supportable. La poésie, pour moi, c'est* le réel absolu *de Novalis à condition qu'elle permette de se soustraire à la falsification des rapports humains. La poésie permet de sauvegarder l'essentiel : la liberté et l'authenticité de l'échange. C'est une fuite dans le sens où l'on va vers d'autres lieux, où l'on déborde d'une condition reçue, mais c'est aussi une façon de perpétuer symboliquement l'espérance : écrire c'est forcément croire que ce qu'on trace sur la page vivra plus longtemps que soi. C'est d'ailleurs une pensée qui ne meurt qu'avec soi puisque chaque livre ajoute à ce qui a été dit. Il n'y a que la similitude entre le livre écrit et le livre*

*espéré qui peut briser la volonté d'écrire. L'écriture est marquée par cette utopie, ce projet à la fois insensé et paisible. Mais je suppose que je suis un être de trop par rapport au livre que j'écris, une sorte de figurine effilochée : l'auteur, seulement l'auteur ».*

Pour sa part, NICOLE BROSSARD, dans *Domaine d'écriture* (1985), poursuit sa réflexion, en tant que femme, dit-elle, sur la fiction et la poésie. « Rien qu'écrire », insiste-t-elle. Le « domaine d'écriture », devient un lieu sacré où l'émotion et la pensée s'échangent une énergie vitale. « La fiction pouvait désormais tenir lieu d'horizon » : voilà le réel selon Nicole Brossard — un réel complètement recouvert par l'écriture.

PAUL CHAMBERLAND, de son côté, dans un recueil de réflexions et d'aphorismes intitulé d'après Hölderlin *Courage de la poésie* (1981), avait déjà écrit : « Par la poésie, j'accède à la parfaite indifférence par rapport à ce qui me broie ».

Commentant la situation de la poésie, Chamberland s'en fait le défenseur et le porte-parole le plus lucide, identifiant la « souffrance » du poète à celle de « n'importe qui ». La poésie, dit-il, c'est cette « façon, inattendue à chaque fois, de pouvoir se tenir debout, et si alerte dans l'espace de la liberté ». C'est aussi « cette sensation de circuler entre les mondes alors même qu'on est au plus près de soi, des êtres qui font tout le quotidien ».

Dans la poésie des années 1980, Paul Chamberland sera aussi celui qui reprend en charge le réel avec son recueil intitulé *Aléatoire instantané & Midsummer 82* (1983), où le poète de la contre-culture revient à une poésie du quotidien. Son livre se présente comme une sorte de journal de bord où le poète note sa prise de conscience des événements du jour: faits divers, manchettes politiques, sensations du moment, état des lieux, etc. Ainsi le poète choisit de porter attention « de plus en plus rigoureusement au réel » :

> *comme si j'étais devenu un million de reflets. Tout-ce-qui-arrive me traverse, et j'en deviens sans fin les facettes tournantes. Je m'égare dans le dédale du multiple. Je fige dans l'affolante modification des apparences. Je n'ai plus de sens.*

YOLANDE VILLEMAIRE, elle aussi, se laisse envahir par les signes. Poursuivant le travail entrepris dans *Coïncidences terrestres* (1984), elle réussit, dans son brillant recueil *Quartz et Mica*, un rituel d'appropriation du réel « en holomouvement au-dessus de Manhattan ».

Son livre est un voyage dans l'hyperréalité de la mémoire et des sensations du présent. Tout se passe comme si le « cristal linguistique » devenait ce prisme à travers lequel les couleurs du monde éclairaient la conscience de l'identité du poète. Dans New York, nouvelle Atlantis, Villemaire se souvient du Québec, cette « terre souveraine », de son passé et même de « vies antérieures » qui façonnent sa mythologie du présent.

Dans une écriture aux allures simples et aux correspondances complexes, Villemaire prend le ton de l'oracle pour déjouer l'énigme et nous proposer le récit de sa pensée. On reconnaît dans cette poésie l'hyperréalisme contenu de l'hologramme :

> *je marche sur Avenue of the Americas*
> *le mot quartz sature ma conscience*
> *j'entre dans l'accélérateur temporel*
> *Atlantis surgit avec ses surfaces en miroir et en verre*
> *ses plans inclinés ses tours de cristal et ses dômes d'or*

*le vent s'engouffre dans un canyon d'acier*
*New York s'effrite en mica craquant*
*miracle de fragilité*
*et je me souviens de notre devise nationale.*

Le fantasme de l'hyperréalité est mené à bout de façon prolixe par CLAUDE BEAUSOLEIL dans ses récents livres : *Une certaine fin de siècle* (1983) et *S'inscrit sous le ciel gris en graphiques de feu* (1985).

Dans ses essais, *Les livres parlent* (1984) et *Extase et Déchirure* (1987), le critique décrit et analyse les thématiques de la poésie québécoise.

Dans sa poésie, c'est tout le réel que Beausoleil veut décrire. Ou plutôt, tout le réel devient matière à poésie, moteur d'écriture :

*j'écris les morceaux d'une conversation infinie*
*le réel alors prend sa place*
*entre les terrasses les livres et les fantasmes*

Cette fiction baroque a lieu dans la ville, certes, mais aussi dans l'intériorité du poète où s'anime son imaginaire et dans une écriture qui veut participer de toutes les cultures du monde. Le poète voyage dans l'espace des villes d'Europe et d'Amérique, en même temps qu'il traverse le temps quotidien et personnel. Il en revient avec une poésie qui note ses impressions de l'immédiat, tantôt dans la fulgurance, tantôt dans une sorte d'incantation qui se veut inépuisable.

Chez Beausoleil, « la poésie habite la réalité comme un réseau infini de *happenings* », a noté Pierre Nepveu. La poésie devient une célébration de la réalité et ce qui compte pour le poète, c'est l'imagination qui la fait naître.

Dans *Une certaine fin de siècle*, le lyrisme de Beausoleil prend toute son ampleur avec les textes de la suite « Le temps des nuits » et celui de « Mémoire de ville », entre autres :

*Nous reviendrons comme des Nelligan*
*dans des paillettes et des espaces urbains*
*comme des voix brisées de nuit*
*dans des mots et des jets*
*que transforment les choses*
*nous reviendrons comme des rocks lents*
*des musiques traversées d'audace*
*des rythmes que la ville balance*
*au-dessus des rêves et des démesures*
*(...).*

Avec un autre recueil, *S'inscrit sous le ciel gris en graphiques de feu*, dont le titre est adapté d'un vers des *Soirs rouges* de Clément Marchand, Beausoleil a écrit un hymne à Montréal, « la ville narrative où chanter le poème ».

Dans un chant de plus de trois mille vers, le poète cherche à créer l'osmose de l'enfance, de l'écriture et de la ville. Ce qui défile ici, c'est finalement une «lecture de Montréal» comme lieu de la passion d'écrire. Le leitmotiv de ce texte reste justement le mot poème, affirmé tour à tour comme intrusion, idée, profusion, rue désertée, aile rouge, aura, sphère, pulsion, trace, forme, etc. Ainsi, pour le poète, le poème se fait successivement image du monde, du temps, de la beauté, du geste, du silence, du voyage, de l'éphémère, du langage, de l'astre, de la magie, des commencements, de l'écriture, de l'intuition, de l'interdit, etc. Alors la poésie explore les rythmes du quotidien, des rituels, des signaux, du soir, de l'aléatoire, etc.

On le voit, cet immense poème de Beausoleil doit se lire comme un « art poétique » qui manifeste les préoccupations des poètes des années 1980 :

*le poème est une ville aux risques infinis*
*et j'entends dans ses fibres*
*les rumeurs de la passion*
*il y a dans ce lieu des cumuls*
*chavirés sous les mots incessants*
*une proposition ultime qui s'élance*
*les êtres et les lumières*
*sont autant de rivages*
*où je donne à délier*
*les langues du réel.*

## Le territoire intérieur

Rina Lasnier — Jacques Brault — François Charron
André Roy — Guy Lafond — Guy Gervais
Jean Hallal — Jean-Marc Fréchette
Pierre DesRuisseaux

Les poètes et les philosophes, parallèlement aux prophètes des religions, ont toujours interrogé la destinée de l'humanité et tenté de mesurer la part d'éternité de l'individu.

Devant ce « vide » et ce « rien » qui nous désespèrent, le poète n'a d'autre réponse que de se poser la question à travers le langage. Ainsi la poésie devient une manière de vivre contre la mort. En questionnant la fin d'un monde, la poésie se rapproche des sensations vitales et de la nature des choses de la vie. Le poète, comme de dit René Char, « Juxtapose à la fatalité la résistance à la fatalité ».

La question métaphysique traverse la poésie québécoise des années 1980. Les questions de l'origine, de l'amour et de la mort continuent de hanter les œuvres de plusieurs poètes, sur des tons différents. À côté des poètes qu'on peut qualifier de métaphysiques, se situent ceux qui se rattachent à des traditions ésotériques et philosophiques pour explorer le territoire intérieur de leur inquiétude fondamentale.

L'œuvre de Rina Lasnier s'impose comme un des

plus beaux chants de la poésie de langue française. Non réductible à une définition catholique ni même mystique, cette poésie est traversée d'un cri d'Amour qui porte nos angoisses et nos solitudes, qui s'incarne dans une recherche d'Absolu, qui s'écrit comme on vit quand on veut connaître l'âme des êtres et des choses. Car c'est le vécu et non l'utopie qui fonde cette poésie. Un vécu qui s'accomplit à même le chant du monde et qui devient poème, défiant les limites mêmes du langage.

Bien sûr, on peut dire que cette poésie est en quelque sorte sacerdotale, dans son « accomplissement dirigé vers la Sagesse », selon les mots du poète. Bien sûr, cette poésie procède d'un héritage ecclésial et n'est pas étrangère aux mystères chrétiens du Moyen Âge ni à l'amour courtois des chevaliers. Mais, plus loin que son lyrisme ingénu, elle pose la question de l'être.

« Cette ascèse, précise Rina Lasnier, implique aussi une adhésion renouvelée à ce lieu d'exaltation et de déchirement qui a nom : la création. Lieu spirituel, car si l'esprit prépare et surmonte la matière poétique, c'est de l'âme seule que viennent l'émotion et ce savoir naturel qu'on appelle don de poésie ».

Alors, conclut Rina Lasnier, « une poésie solidaire de la chair et de l'esprit, de la nature et de l'homme subit la pression chaleureuse d'une connaissance intime du visible comme de l'invisible ».

Cette poésie est spirituelle parce qu'elle est une poésie de l'Amour. Et, pour le poète, « l'amour a le secret de la vie et de la mort ». La poésie, dira encore Rina Lasnier, c'est « cet Amour qui nous assigne à la révélation de nous-même et d'un Autre ».

Cette œuvre exemplaire n'a cessé de prendre de l'ampleur et de la profondeur, comme on le voit dans les deux tomes de la rétrospective des recueils de Rina Lasnier, L'Ombre *jetée I* (1971-1978) et *L'Ombre jetée II* (1981-1983).

Comme le souligne l'éditrice Louise Blouin dans la présentation de cette rétrospective, cette poésie possède « tout un vocabulaire luxuriant qui se déploie à travers les pages, avec un lexique particulier, soulignant minutieusement la moindre nuance, non seulement au niveau religieux, mais aussi dans les domaines foisonnants de la faune et de la flore ».

Lisons, par exemple, ce beau poème de 1984 intitulé « À la volée » :

*Papillons, papiers à parole, feuilles d'octobre,*
*pour embellir le vent et l'eau de l'oeil,*
*la poussière, partie de rien, à la volée,*
*jalouse ce beau risque de ne pas périr.*

Cette poésie, qui a pour points d'appui l'amour et le sacré, est aussi une poésie de la nature, fondée sur les images de la mer, de l'étoile, du diamant, du feu, de l'oiseau et de l'arbre, entre autres.

En fait, la poésie de Rina Lasnier explore le paysage natal comme le territoire intérieur de l'être. Ainsi s'écrit sans cesse le « chant perdu » du poète :

*Ni paix ni joie ne reposent en toi*
*marcheur harcelé de nuit magnétique*
*disperse l'or houleux de ta lampe...*
*ton chant perdu déporte la mort...*

Pour JACQUES BRAULT, « il y a une saveur de l'existence » qui est sa poésie. C'est bien ce que nous transmet l'œuvre riche de ce poète qui n'a cessé de diversifier son approche du réel et de questionner la mort en s'attachant à la vie.

Cette œuvre a pris sa source dans la fraternité et a

chanté la survie d'un peuple dans un premier recueil, *Mémoire* (1965). Aujourd'hui, la poésie de Jacques Brault a appris à côtoyer le silence : « Et le silence, le silence comme vertige de la parole ». Dans ses récents livres, *Trois fois passera* (1981) et *Moments fragiles* (1984), le poète affronte la solitude millénaire et contemporaine de l'homme. Il contemple le monde en compagnie d'autres poètes, tels Komachi (IX^e siècle) et Sylvia Plath, entre autres.

Si la poésie de Brault est passée en vingt ans du lyrisme au lapidaire, c'est pour ne pas abandonner la question fondamentale : comment habiter le réel ? Interrogeant la mort, le poète découvre la « saveur de l'existence ». Au cours d'un long entretien avec Robert Mélançon. (*Voix & Images*, n° 35), Jacques Brault précise sa pensée sur la poésie : « Ce que j'attends de la poésie, aujourd'hui, c'est de vivre moins bêtement, de ne pas crever dans la stupeur ». Plus loin, il dira : « J'aime le mot saveur : il inclut le sensible. Une certaine saveur qui n'est pas à dédaigner même si elle n'est qu'éphémère. »

Dans son livre intitulé *Trois fois passera*, où le théorique se mêle au poétique et la prose au poème, Brault posera l'équation : écrire + aimer = vivre :

> *Écrire, aimer, il n'est jamais trop tard pour s'y mettre. Il n'est jamais insignifiant ou désastreux d'échouer. J'écris donc dans le but de renouer un fil cassé, de retrouver la force et la douceur de certains mots, de certains silences — trahis.*

Le poète qui médite sur l'amour et l'écriture n'a cependant jamais perdu de vue le réel, « l'en dessous » ni « l'admirable » qui le fondent :

> *Je me sens bien dans nos lieux communs. C'est au fond*

*du quotidien que gît le merveilleux. Il y en a qui se consacrent aux grandes choses — et je les admire ; il y en a qui s'accordent avec les petites choses — et je les aime. L'errance de l'eau, la rue où le temps mène sa flânerie, le clochard caché en chacun, la patience illuminée d'un mur, voilà des fils conducteurs et que je touche de la main. Pour aller où ?*

À cette dernière question, il avait déjà répondu : « Le chemin de l'écriture ne s'achève nulle part ».

Dans son recueil intitulé *Moments fragiles*, le poète s'interroge sur l'existence. Les poèmes sont brefs et contemplatifs à la manière orientale. Ces « murmures en novembre », ces « leçons de solitude » apprivoisent le mal de vivre avec un « calme étrange », comme l'a remarqué Gilles Marcotte : « désormais, la poésie de Jacques Brault garde sa distance par rapport au vécu, elle trouve "dans la distance même, dans le manque, une façon d'être au monde" » :

*Si on me demande par ici*
*dites que je m'éloigne sur la route*
*mêlant le sel de neige*
*au sel de mes larmes*
*dites aussi qu'un grand froid m'accompagne.*

Selon François Charron, la vie n'a de sens que « de ce qui s'écrit ». Car, avant le sens, il y a la parole, qui, elle, invente le réel. En d'autres mots, pour le poète, n'existe que ce qui est nommé. La poésie — comme l'amour — est une façon de se garder en vie, de faire face au désastre de la fin de soi et de la fin de tout.

Poète prolixe (on peut compter plus de vingt titres depuis 1972), Charron est devenu un des plus riches héritiers de la poésie québécoise. Les titres qu'il a publiés dans les années 1980 nous proposent une œuvre qui ne cesse d'évoluer, portée par une imagination verbale unique.

Après avoir été un poète « matérialiste », Charron peut être considéré désormais comme un poète métaphysique. Devant le « vide » et le « rien », il oppose le sens de l'origine, de ce qui commence, dans *Mystère* (1981), puis dans *Toute parole m'éblouira* :

*Tu assisteras à la préparation d'un rêve*
*Où tu dois t'effacer*
*Tu ne t'effaceras pas*
*Et ton rêve sera la peur étrange*
*De ne pas t'effacer*
...

L'écriture, « le bruissement de la main », reste une réponse à l'énigme de la vie. Dans *La vie n'a pas de sens* (1985), Charron agrandit son territoire intérieur:

*L'espace se soulève tout seul pour nous*
*Toucher un peu, l'espace emmène le souvenir*
*À la vitesse de l'avion qui nous effraie*
*Et le cœur, ce vieux mot usé, un instant*
*Remonte par nos faims et nos soifs*
*Le cœur s'égare sur les toits des villes*
*Son périmètre reste impossible à imaginer*
*La vie ne peut plus attendre, la vie est*
*Tout à fait la vie.*

Ce poète bâtit une œuvre singulière qui prend le risque, à chaque livre, d'aller au bout de son interrogation. Passionné d'absolu, il cherche à habiter la lumière du présent contre la douleur de l'effacement.

L'un de ses plus récents livres, *Le fait de vivre ou d'avoir vécu* (1986), contient un monde qui prend ses distances pour mieux se reconnaître. Paysage de ville, fenêtre ou visage connus disparaissent entre les mots pour nous faire aborder la frontière de l'inconnu, « au-delà du sens ». « Le fond incendié de nos mouvements / possède le savoir indicible. Le poème / me paraît concluant », écrit-il.

Cet abandon à l'expérience poétique, au langage qui reconstruira l'énigme, Charron l'accomplit non sans avoir traversé son sentiment de vivre au meilleur de sa connaissance. Charron ne jette pas les mots dans l'espace, il crée de l'être poétique avec ce qui lui reste de sensation et d'intelligence du « fait de vivre ou d'avoir vécu ». Pour lui, chaque histoire individuelle devient une histoire du monde.

Cette poésie exprime mieux que toute autre l'inquiétude de vivre et l'incertain ou le sens ténu de la vie, en même temps qu'elle devient poésie amoureuse, au sens le plus vaste, jusqu'à la tendresse. Ce qui n'exclut pas la négation même de son chant :

> *De toutes parts en moi la beauté*
> *contient l'être, sa libre violence,*
> *l'être qui respire et se fane.*

« Écrire, c'est vouloir être vivant et mort, rejoindre un état premier et dépasser la mort », dira ANDRÉ ROY dans un entretien à la revue *Estuaire* (nº 44). En quinze ans d'écriture, ce poète n'a pas toujours posé la question métaphysique.

Depuis 1973 et avec près de vingt titres publiés, André Roy est passé du formalisme au « lisible » et de l'humour à la gravité. Mais sa poésie n'a jamais cessé de poser le corps — le sexe — comme explication du monde.

Ce qu'il nomme « le cycle des Passions » ou sa « comédie humaine » réunit quatre titres entre 1979 et 1983 : *Les Passions du samedi, Petit Supplément aux passions, Monsieur Désir, Les Lits de l'Amérique*. Dans ces livres, le corps homosexuel devient la mesure des conduites contemporaines. Avec l'humour et l'insolence qu'il faut pour ne pas désespérer de l'existence, le poète donne le corps en spectacle. À l'affiche : la drague, la jouissance, la solitude — c'est-à-dire la sexualité dans tous ses états ou presque.

La poésie de Roy fait aussi appel aux autres arts : le cinéma surtout, puis la musique et la peinture. Dans son recueil *Action writing* (comme on dit *action painting*), le poète découvre « le bonheur du bleu ». Car le bleu, dira-t-il en entrevue, « c'est une couleur qui, par sa charge sexuelle et sensuelle, nomme le monde ». Et ce bleu, c'est aussi un « bleu de fin du monde qui nous enfonce dans son horreur : sa terrible destinée ».

On le voit : le ton du poète s'est mis à changer. Dans un de ses récents recueils, la comédie a laissé la place à la mélancolie. C'*est encore le solitaire qui parle* porte sur un ton grave la question de l'existence. Après le je « biographique » du « cycle des Passions », voici le « nous » de la condition humaine universelle. Comme l'a écrit Marie-Andrée Beaudet dans *Estuaire* (n° 44) : « Le matériau anecdotique s'estompe. Le monde et les mots accèdent à une présence absolue. (...) Ici, le bleu devient littéralement blessure d'éternité » :

> *Quelque chose dans le vide qui tient*
> *de l'azur, au caractère définitif de*
> *l'air. Quelqu'un ne veut rien d'autre*
> *qu'être un corps — et parfois un corps*
> *pour un autre. Dans la solitude, tu*
> *n'es pas loin des larmes, avec le bleu*
> *affolé du ciel sous tes ongles ; tu es nu,*
> *absolu, comme un dessin sur la voûte azurée.*

On retrouvera ce ton classique, plus dépouillé encore, dans *L'Accélérateur d'intensité* (1987). Ici, « au temps des larmes, la pensée coule », propose le poète. Dans ce livre d'André Roy, comme l'écrira Gérald Gaudet, « la tristesse est une façon de s'instruire sur l'époque ». Lisons :

*Nous avons tous rêvé de vivre,*
*d'être visibles comme les ruines de la terre.*
*Le cœur, accélérateur d'intensité, gît ailleurs*
*malgré ce que nous montrent les photographies.*

« Nous avons cessé d'être profanes », clame Paul Chamberland dans *Compagnons chercheurs* (1984) — un livre qui nous renvoie au courant spiritualiste de la poésie québécoise. Certains poètes conçoivent en effet une poétique humaine de la divinité. Leur poésie, définie comme spirituelle, s'associe tantôt à quelque philosophie ou religion, tantôt à l'ésotérisme ou à la gnose. Ces poètes, qui s'apparentent à ces chercheurs qu'on appelait les alchimistes, ne sont pas nécessairement des mytiques ni même des croyants; mais, dans la plupart des cas, leur travail veut témoigner de l'aventure judéo-chrétienne. Leur quête est celle de l'Origine et des lois fondamentales dont les images finiraient par nous transmettre le sens du monde.

Pour GUY LAFOND (né en 1925), il s'agit de déchiffrer la « nuit de naissance ». Depuis son premier livre en 1958 *(J'ai choisi la mort)*, le poète est à la recherche de l'unité essentielle de l'être et de la pureté originelle. Ainsi écrit-il dans un des ses plus beaux livres, *Les Cloches d'autres mondes* (1977) :

*Une fleur cueillie à l'heure tendre*
*d'un printemps, et l'enfant s'avance*

*dans la mer, noyé par l'écho des miroirs*
*où sommeillent les cloches d'autres mondes.*

Dans son plus récent recueil, *La Nuit émeraude* (1986), le poète veut entrer en symbiose parfaite avec le monde de la gnose.

GUY GERVAIS (né en 1937), ancien étudiant du philosophe Raymond Abellio, a écrit jusqu'à son beau recueil intitulé *Gravité* (1982) une poésie qui ne cesse de s'inquiéter. Il a pratiqué l'écriture transcendantale, dans l'esprit du Grand Jeu de Daumal. Puis, dans son dernier recueil, *Verbe silence* (1987), il veut retracer les origines du poème :

*l'épiderme était nu le verbe l'a couronné*
*la peau rose de l'enfant tranchait sur la nuit vive*
*et tel un animal sentant son domaine cerné*
*les mots tissèrent entre eux un vêtement obscur*
*afin que rien ne transperce plus de ce secret troublant*
*car la vie menaçait d'être prise d'assaut*
*(...)*

Même s'il demeure inclassable, JEAN HALLAL (né en Égypte en 1942 et vivant au Québec depuis 1959) peut être situé dans ce groupe de poètes qui font appel aux lois du monde. Ce poète conçoit ses livres comme des récits allégoriques où se confrontent les intuitions et les sciences exactes.

Ainsi son dernier livre, *Les Concevables Interdits* (1987), nous emmène en pèlerinage dans l'ancien et le nouveau mondes à la fois. « L'observation des divers paliers ou états de la perception » nous sera révélée par la confrontation des univers. Par exemple, une partie du texte se lit en caractères qui se rapprochent de l'hébreu. Cette poésie fait appel à des notions scientifiques et à des symboles anciens, usant tantôt du burlesque et tantôt de la tragédie, afin de défier l'énigme du monde « au gré des courants célestes ».

Cette suite poétique, expliquera Jean Hallal, se veut « une épopée fluide en marge du quotidien » qui raconte l'aventure de la création humaine. Elle récrit l'histoire en puisant tout autant dans les récits anciens comme la Bible, la Torah et le Coran que dans l'univers postindustriel de demain. « Cette narration, précise le poète, se lit comme une lutte entre la CHOSE et l'ANTÉ-CHOSE qu'il est interdit de concevoir et qui resteront toujours une énigme ».

Ce voyage dans le temps et dans l'espace, avec en surimpression un questionnement pyschanalytique qu'on retrouve dans d'autres livres du poète, reste une traversée originale et unique en littérature québécoise. Cette poésie cherche un sens à notre monde :

*lorsqu'ils furent chassés de la matrice*
*ils commencèrent à apprendre lentement*
*ils étaient essentiellement libres*
*leurs esprits pouvaient concevoir d'autres univers*
*des mondes parallèles*
*l'exil aurait été une révélation*
*l'infinitude de leur pensée*
*et ils comprirent ainsi*

*l'exil en soi est une nécessité vitale*
*un besoin absolu pour tout dépassement*

Pour Jean Hallal, l'aventure humaine trouvera son sens dans l'histoire de sa création :

*or*
*leur révolte engendre la création permanente*
*et l'effort*
*et le travail*
*qui mènent à l'immortalité*

*ils cueillirent humblement œillets épars*
*et chardons figés dans l'angoisse du quotidien*
*ils puisèrent au fond d'yeux et de paroles*
*où se penche la transparence du temps*
*(...)*

Chez d'autres poètes, ce sont les images de la Nature, source de vie, qui vont finir par dessiner leur territoire intérieur. Qu'elle soit Transcendance ou miroir, cette Nature fait foi de l'Origine et demeure la conscience du monde.

Dans la poésie de JEAN-MARC FRÉCHETTE (né en 1943), « les âmes traversent le paysage ». Il y a aussi des anges, des bergers, des fées et « Meera, la Mère, l'Admirable », car le poète est un intitié d'Aurobindo. Ses poèmes, réunis sous le titre : *Le Corps de l'infini* (1986), célèbrent une nature aurorale. Ils se définissent bien d'ailleurs par ces deux lignes de Fréchette : « Travaux purs à la limite du songe et de la simplicité des branches ».

On retrouve dans la poésie de Fréchette des références religieuses connues ; ces « Entretiens de l'ombre / et du silence lumineux » nous donnent également des images d'une fraîcheur bienvenue. Par exemple, ce simple poème intitulé « Amour » :

*ô folie des astres*

*ô labeur odorant*
*des mondes déchirés...*

On note une grande profondeur et de la maturité dans l'œuvre de PIERRE DESRUISSEAUX, (né en 1945) qui a fait paraître depuis 1979 une demi-douzaine de recueils dont *Lettres, Soliloques, Travaux ralentis* et *Présence empourprée.*

« Intime vêtement est cette parole », affirme-t-il. DesRuisseaux voudrait saisir cette lumière qui nous dessine vivants. C'est pourquoi il fréquente les ombres.

Philosophe, voyageur, auteur d'essais sur la culture populaire, ce poète qui explore la nature a choisi de dire le fondamental, de façon lapidaire, sobre et personnelle.

Cette poésie du rêve et de la fulgurance, de l'instantané et du mouvement se déploie sous plusieurs thèmes, soit la nature, le dépassement, le chaos, la matière, les éléments, l'imaginaire, le corps, la parole et le silence, qui sont autant de questions face à l'énigme du monde. Comme ce poème de *Storyboard* (1986) :

*La branche la plus haute*
*crie au-dessus des jardins*
*(soit l'âme dans l'instant)*
*et franchit un impossible pays*
*ce grand bruit où se perdent les images*
*porte le monde partagé*
*qui miroite et tombe reposant sur des lèvres.*

Il faudrait ajouter à la suite de Fréchette et DesRuisseaux, le nom de Jean-Pierre Issenhuth (né en 1947), poète qui a pris la nature comme seul sujet de son unique recueil intitulé *Entretien d'un autre temps*. Ce livre réunit quelques beaux poèmes aux sonorités envoûtantes décrivant un joyeux bestiaire et d'autres aspects de la nature.

Ce chapitre ne saurait non plus être complet sans les noms de quelques autres « alchimistes » dont nous avons déjà abordé les œuvres sous un aspect différent: Juan Garcia et Paul Chamberland, entre autres, ainsi que Fernand Ouellette (plus près des mystiques), dont les poésies sont traversées par la question spirituelle ou métaphysique.

Francine Déry

François Charron

André Roy

Pierre Morency

Enfin, rappelons l'œuvre de Robert Marteau (né en 1925 dans le Poitou, il a vécu au Québec de 1972 à 1982), qui veut refaire dans le poème la parole chrétienne perdue d'un monde où la matière est coupée de l'esprit et le sacré est remplacé par le religieux. Ses deux derniers livres, des proses poétiques, *Mont-Royal* (1981) et *Fleuve sans fin, Journal du Saint-Laurent* (1986), révèlent avec une précision remarquable le paysage québécois comme lieu d'un recommencement du monde.

# L'amour, la mort

DENISE BOUCHER — LOUISE DUPRÉ
HÉLÈNE DORION — PIERRE MORENCY
JEAN CHARLEBOIS — JACQUES GARNEAU
ANNIE MOLIN VASSEUR — GUY CLOUTIER
ROBERT YERGEAU — FERNAND OUELLETTE
ALPHONSE PICHÉ — LOUKY BERSIANIK

La question de l'amour a été de tout temps un thème poétique fondamental. Il a surgi dans la poésie québécoise par le biais de la religiosité d'abord. On se rappellera la polémique suscitée par la parution des *Premières Poésies* d'Eudore Évanturel en 1878.

Le thème de l'amour est ensuite devenu « laïque », mais aussi quelque peu convenu, avec un poète comme Albert Lozeau, par exemple, au début du XXe siècle. En même temps que Lozeau, Léonise Valois, sous le pseudonyme d'Atala, fut la première femme à publier un recueil de poésie (*Fleurs sauvages*, 1910) et l'un de ses thèmes était celui de l'amour déçu. C'est grâce à elle et à des femmes poètes des années 1920 et 1930 que la poésie de l'amour s'est incarnée. Hélène Charbonneau, puis Jovette Bernier, Éva Sénécal, Medjé Vézina, entre autres, ont écrit une poésie de la passion et de la tendresse dont les accents tranchaient avec les lieux communs de l'époque.

Avec l'œuvre d'Alain Grandbois, l'amour allait devenir un thème métaphysique : l'amour comme sentiment de possession du temps contre la mort. Puis les poètes de la génération de *Refus global*, tels Gilles Hénault, Roland Giguère, Paul-Marie Lapointe, voient en l'amour une explication de l'humanité ainsi qu'un gage de tendresse et de continuité pour les habitants de la terre. Chez ces poètes surréalisants, l'amour a une fonction sociale.

À la fin des années 1950, les poètes de la génération de l'Hexagone ont inscrit l'amour dans une poésie du quotidien et de la conscience de soi. Pour Gaston Miron, par exemple, l'amour est une « marche » vers l'autre, mais d'abord vers sa propre identité. Tandis que chez Jean-Guy Pilon, l'amour prend les visages d'une cosmogonie du vécu. Chez Fernand Ouellette, au contraire, l'amour est essentiellement mystique.

Après eux, les poètes de la génération de Parti Pris, tel Paul Chamberland, ont repris à leur compte le vieux mythe des troubadours chez qui la femme n'est pas prise pour elle-même mais comme symbole d'un idéal ou de désir absolu. Dans les années 1960, les poètes chantent l'amour-fusion avec la femme-pays.

Au milieu des années 1970, la venue en masse des femmes en littérature a réactivé le thème de l'amour incarné. La femme, cet objet du désir, devient le sujet qui parle et qui vit l'amour. Le féminisme aura eu pour effet, entre autres, de transformer le discours amoureux des années 1980. Désormais, les thèmes du désir, de la passion et de la tendresse mettent en cause la présence même de la femme dans l'amour.

*Si le silence tombe pour couper l'amour en deux*
*vous avez tout fait pour ça*
*c'est bien de votre faute si je me rappelle à vous*
*vous m'avez monté un beau grand bateau*
*vous m'avez fait de bien grandes vagues*
. . .

Cette voix est celle de DENISE BOUCHER (née en 1935) qui, avant d'écrire des textes de chansons pour Gerry Boulet et Pauline Julien, avait lancé des « complaintes politiques » dans lesquelles la femme veut reprendre sa part du territoire de l'amour.

Les livres de Denise Boucher redéfinissent la présence amoureuse de la femme. Nous assistons dans *Retailles* (1977, en collaboration avec Madeleine Gagnon), à une désacralisation de l'amour et à une recherche d'authenticité féminine qui ne va pas sans douleur. Il faut noter cependant que chez Denise Boucher, l'amour féministe n'exclut jamais l'homme. Elle dira aussi : « L'amour est au moins physique, c'est plus beau qu'un absolu ».

Puis, dans *Cyprine* (1978), Denise Boucher accuse la « peine de corps » et cet essai-collage pour la défense d'un féminisme jouissif et de non-exclusion nous vaut aussi quelques poèmes d'amour à son amant. Le grand thème de Denise Boucher reste le combat d'Éros contre Thanatos. Ses textes sonnent le glas des héros de guerre et des martyrs d'un amour idéal d'où la femme était absente depuis le temps des Croisades ! Elle écrit :

*je ne boirai plus jamais de ton eau*
*et je recouds ma vie déchirée*
*ceux qui veulent ma fin sont libres*
. . .

*lui, pendant ce temps vaquait à ses*
*occupations*
*tenant toujours la main qu'il avait*
*tranchée*
*on supposait la femme défaite*
*comme un tricot*
*ô immortelle stupeur d'être vue à sa*
*première*

*évidence et, elle refuse tout net le permis*
*d'inhumer*
*extase propice aux bases de l'être*
*la perfection de mon projet*
*abolit le pathos*

De son côté, Madeleine Gagnon tente d'inscrire en poésie la mémoire de l'amour. Ses livres, où se côtoient le théorique et le poétique, sont traversés de questions philosophiques (elle a bien lu René Char et Claire Lejeune, entre autres), mais elle sait aussi que « l'écriture est une chose qui prend la voix des chairs ». Son recueil *Les Fleurs du catalpa* (1986) reste exemplaire de cette démarche.

On a l'impression que LOUISE DUPRÉ (née en 1949), d'autre part, se tient à la fenêtre du réel. Dans sa poésie, la femme veut nommer le monde à partir de son propre point de vue. Elle est accoudée à la fenêtre, comme l'était Jean-Aubert Loranger, pour s'identifier à son tour au paysage.

Son livre le plus réussi, *Chambres* (1986), nous entraîne, à travers un récit de l'intime, dans les chambres de l'amour et de la passion, habitées aussi par la mémoire de l'enfance et de la mort. Car ces chambres sont celles des amants, mais aussi celles de la photographie du réel et du passage du temps. L'amour ne peut pas oublier la mort. La passion ne peut éviter la douleur. La femme en attente de l'aimé prend conscience et possession de sa propre difficulté de vivre et même d'accéder à un ailleurs plus vaste. Dans *Chambres*, une femme affirme l'amour contre la mort et lutte contre l'anéantissement du désir :

*la figure amoureuse serait celle d'une nuque tendue à la fenêtre, signe essouflé d'une impatience à reconnaître l'absent, celui-là même qui en vient à obséder les murs jusque dans leurs plus étroites fissures, une femme ici s'étonne et s'inquiète de se voir voler en éclats, sans recours contre sa fragilité. Se sentir si frêle quand rien ne peut combler le vide, voilà peut-être, dit-elle, l'intenable de la passion.*

La poésie de l'amour se renouvelle aussi chez HÉLÈNE DORION (née en1958). Dans son recueil intitulé *Hors champ* (1986), l'« autre » n'est plus l'objet, mais devient le sujet de la relation amoureuse. Nous voici au cœur des tremblements, des inquiétudes et des « morsures du réel ».

Dédié à la mémoire de Michel Beaulieu, dont on lit encore l'influence dans l'écriture de Dorion, ce livre porte cependant sa propre émotion. Cette poésie affronte l'oubli du corps dans la mémoire même de l'amour qui le déchirait. Les titres des suites de poèmes — « Filatures », « Ce qui remue sous la chair », « Le long des choses », « Comme une prise sur l'éphémère » — décrivent bien l'introspection de cette poésie qui cherche en l'absence du corps aimé « une autre façon de dire / ce qui se déroule / sous le visible ».

Hélène Dorion continue de développer le thème de l'absence et de la perte, de l'attente et du silence de l'autre, dans un nouveau recueil, *Les Retouches de l'intime*. Ici, la mémoire de l'intime devient un lieu clos :

*Pour déjouer ton regard, il me faudrait glisser dans cette mer que dessine l'horizon. Mais sans cesse je retourne à ton visage, tes épaules, tes bras.*

On sent que cette poésie cherche le passage entre la perte d'un amour et l'ailleurs d'un renouvellement. Nous frôlons sans cesse le silence. « De cette mort, rien ne peut être dit », écrit Hélène Dorion. En effet, comment dire à la fois la disparition et le désir ? « J'essaie de trouver un lieu où la vie me serait possible, mais j'habite si loin de certaines avenues du réel ».

Mais en l'absence de l'homme aimé, la femme se doit d'arpenter le paysage à son compte, d'explorer la durée de son propre désir. La poésie d'Hélène Dorion s'écrit, en fait, là où la passion devient tendresse, là où l'amour trouve sa permanence non plus en l'être aimé exclusivement, mais en l'être qui aime et qui assume son désir :

> *Je pense à toi*
> *et la scène rejoint un autre visage*
> *dans ce pacte du désir*
> *avec la mémoire faut-il retracer*
> *les images complices*
> *du réel que tu déclenches*
> *dans le grain du toucher l'espace*
> *familier de cette tendresse*

Quand la mort risque d'abolir le sentiment amoureux, il serait peut-être le temps d'inscrire une poésie « vitaliste », celle de PIERRE MORENCY, chez qui l'amour est synonyme de la naissance et de la nature tout entière. Naissance à la poésie, c'est-à-dire à la vie qui se fait et s'assume. On le voit dans la force de son recueil intitulé *Effets personnels* (1986) : le poème est pulsion de vie contre la mort. L'amour, c'est bien la rencontre continuelle avec le monde.

Dans sa poésie, Morency nomme les arbres et les oiseaux comme une multiplication des souffles de vie. Le poète traverse la nature, il en éprouve les forces. Il ne faudrait certes pas opposer Morency comme poète de la nature à ces autres poètes qui se réclament « de la ville ». Non. Dans la diversité de notre poésie, il faut savoir reconnaître au-delà de la couleur du temps le propos même qui nourrit le poème. Ici, la poésie s'écrit sous le signe de la naissance continuelle contre la mort. Un poète marche dans les pas de sa joie. L'amour répond à la question « qui est cet homme ? » :

> *J'écris la saveur des premiers répertoires et dans le même souffle la plus dure flèche du carquois. J'écris ce qui chantait, ce qu'on attend au bord des fleuves, j'écris le claquement des canifs, l'escadrille qui fauche, j'écris un petit torse d'avenir, une poitrine consumée.*

Le vrai poète, c'est celui qui accorde les mots à sa propre voix, qui s'invente un langage à lui et qui maîtrise ses « effets personnels ».

On le voit bien en parcourant le plus récent livre de Morency, *Quand nous serons*, un recueil qui réunit les six titres qu'il avait publiés entre 1967 et 1978: *Poèmes de la froide merveille de vivre, Poèmes de la vie déliée, Au nord constamment de l'amour, Les Appels anonymes, Lieu de naissance* et *Torrentiel.*

La poésie de Morency s'intéresse au rapport vital qu'il y a entre les êtres, la nature et la vie. Le poète s'émerveille des forces fondamentales qui animent notre monde, il y puise la saveur des mots et des choses. Mais il veut surtout, « dans la véhémence de l'espoir, conjurer l'angoisse ». Poète de la fraternité et de l'amour, il nous rappelle aussi le sens tragique de la vie. Sa complainte, qui vole parfois en éclats, explore les « chambres secrètes » qui rendent possible ce qu'il appelle « la seconde naissance » et l'accession de l'être à sa vraie réalité.

Dans ses premiers recueils, la voix de Morency est nourrie par l'héritage des mots familiers (« je fouille dans les trous que vous faites en parlant »), par l'écho des voix de Grandbois et Miron, par les leçons du surréalisme, mais aussi par un emportement lyrique, par un enthousiasme du langage qui cherche à incarner le monde et son propre corps dans le poème. Le poète Morency assume le parti pris de la vie pulsionnelle, qui s'agrandit et trouve sa durée dans un langage fusionnel. C'est ainsi que l'auteur de *Lieu de naissance* et de *Torrentiel* se fait le chantre des saisons de l'amour et de ce qui tombe dans la mort, « qui fait aussi partie de la vie ».

Prenons cette voix au vol, au poème « Je l'embrasse » :

*et le monde tremble comme une corde*
*la bouche des maisons frémit à tous les vents*
*la nuit rejoint le matin dans un sursaut de branches*
*et d'herbes*
*les eaux s'emportent dans les crevasses*
*dans toutes les veines le temps se prend à courir*
*la flèche de sa langue siffle dans le noir.*

La poésie amoureuse nous tient aussi dans les mots du corps pour nous garder en vie. Elle cultive l'érotisme. Elle mime l'acte d'aimer ou le raconte pour le faire durer. Étrange étreinte que cet érotisme où la caresse devient langage. Étrange déploiement que celui de la poésie où le mot devient le geste. En poésie comme en amour, nous fréquentons un lieu unique. Avez-vous remarqué que les poètes — comme les amoureux — se tiennent si près du silence que le corps — la mort — apparaît quand ils parlent ?

Ainsi peut-on lire l'œuvre de JEAN CHARLEBOIS (né en 1945), dont la poésie veut défier la mort en affirmant la sensualité de l'amour, dans ses plus récents recueils. Le poète se tient du côté de la tendresse avec *La Mour suivi de L'Amort* (1982). Il cherche ensuite à inscrire l'érotisme dans le quotidien avec son livre *Présent !* (1984), où courent trois textes. En page de gauche, un journal intime où il nous décrit son environnement personnel et domestique, socio-culturel et politique, en même temps que son rapport à la poésie. En page de droite, deux autres textes défilent : au-dessus de la page une ligne nous entraîne dans une description de l'amour physique par l'œil du voyeur. Cet excès, qui s'alimente au crû des fantasmes dans sa violence pornographique et égocentrique, met en relief un troisième texte, poétique celui-là, où l'on voit bien que l'érotisme, c'est l'autre.

Dans ce recueil, le poète confronte le réel et l'imaginaire, la mort et le désir. Roland Barthes disait que l'obscène n'est plus le sexuel, mais le sentimental. On pourrait ajouter que pour Charlebois, l'érotisme c'est la *présence* :

> *La peur se voit, se trame dans le muscle du silence :*
> *les yeux tombent et les nerfs pendent.*
> *Et il y a quelqu'un en dedans avec une bouche,*
> *quelqu'un derrière des dents.*
> *Quelqu'un qui reste en lui, fervent,*
> *qui tient tête au vent,*
> *qui se rend visible*
> *comme un parfum*

Charlebois poursuit, dans son recueil *Tâche de naissance* (1986), cette poésie de l'amour physique et des blasons du corps féminin, un peu à la manière d'Éluard.

Plusieurs autres poètes, bien sûr, abordent le thème de l'amour. Signalons quelques autres points de vue. JACQUES GARNEAU (né en 1939), dans son beau recueil, *L'Embrassement ou les petits poèmes du corps* (1984), redore le blason de l'amour sur le ton de la confidence. Ici, le poète ne fait pas que décrire le corps, il le laisse parler. Lisons ce poème intitulé « Le ventre » :

*il a conduit la fête*
*impeccable et très doux*
*une planète blanche sur un tapis de neige*
*beige il a jailli*
*dans le glissement des bras*
*il a plissé*
*comme un buvard solide*
*dans la jolie salive du liquide des lèvres*
*il s'écoule lentement*
*comme une langue maternelle.*

ANNIE MOLIN VASSEUR (née en 1938), installe une voix dissidente et passionnée. Dans *Passion puissance* [2] (1984), il s'agit de déconstruire le langage, afin d'y reconstruire une vie. Dans des textes intitulés « Éros-mentique » et « Éros-sémantique », elle décrit l'amour comme dans un miroir (« peau à peau / les corps se multiplient d'exigence / sexe exact ») puis elle cherche le sens de la passion : « Je réécris en sourdine avec d'autres, en lettres fracassantes dans les gommés du non-dire, je réécris : il suffit de pousser une étoile... » Yolande Villemaire décrira aussi une passion, mais de façon plus élégiaque, dans les poèmes de *Jeunes femmes rouges toujours plus belles* (1984).

Chez Hugues Corriveau (né en 1948), la description minutieuse des rapports sexuels dans *Mobiles* (1987) sert de mimétisme de la violence et d'exorcisme contre la mort. Chez Louise Cotnoir (*L'Audace des mains*, 1987), l'idéologie féministe fonde le poétique. D'autres femmes poètes, telles Marcelle Roy (*L'Hydre à deux cœurs*, 1986) et Julie Stanton (*À vouloir vaincre l'absence*, 1984) poursuivent une quête d'identité à travers l'expression de la passion amoureuse.

GUY CLOUTIER (né en 1949), dans *Cette profondeur parfois* (1981), puis dans *L'Heure exacte* (1984), écrit lui aussi une poésie où couve la passion. Mais son poème, qui sait se faire lapidaire, est contenu par une grande pudeur que vient faire éclater parfois quelque citation de Lawrence Durrell :

> *Là d'où je parle*
> *je reviens vers la ville*
> *pierre à pierre la douleur*
> *fige sur le pas des portes*
> *le sexe maintient la pose*
> *c'est le sel de la terre*
> et l'on reconnaît le goût
> dans chaque baiser
> de la chaux vive.

On note, en cette fin de siècle, une résurgence du thème de la mort, intimement lié à la conscience des origines. Robert Yergeau écrit *Le Tombeau d'Adélina Albert* après la mort de sa mère. Fernand Ouellette nous donne *Les Heures* après la mort de son père et Louky Bersianik fait paraître *Kerameikos*, afin de retrouver la femme aux sources de notre culture.

ROBERT YERGEAU (né en 1956) avait emprunté la voie royale du surréalisme dans ses premiers recueils comme *L'Oralité de l'émeute* (1981), puis il a tenté d'explorer les rapports du poème au réel, dans des livres comme *Déchirure de l'ombre* suivi de *Le poème dans la poésie* (1982) et *L'Usage du réel* suivi de *Exercices de tir* (1986).

Une nouvelle voix se fait entendre dans *Le Tombeau d'Adélina Albert* (1987). Une voix personnelle, qui tremble d'une nouvelle naissance devant l'irrémédiable mort de celle qui lui avait donné la vie. Yergeau se souvient de l'enfance et reprend son apprentissage du sentiment de vivre. « Je persiste dans l'éblouissement », écrit le poète, et, dans le même poème : « Je dirai la beauté inventée / pour répondre à la beauté ». Cet hymne à la vie contre la mort devient aussi un appel à la poésie dans cette « époque nue » où « nous sommes vieux de toutes les blessures du monde » :

. . .
*Noce majeure*
*Miroir déchiqueté*
*Sang, lente nuée*

*À partir de ces matières*
*il sera question de poésie*
*La poésie seule ne saurait suffire*
*mais elle ralentira notre pourrissement*
*et étonnera peut-être notre exécuteur*
*trop confiant.*

FERNAND OUELLETTE est revenu à la poésie, qu'il avait délaissée un temps pour le roman, en publiant *Les Heures* (1987), dont la gravité nous émeut. Avec une simplicité qui donne à ses poèmes des allures de prose découpée, Ouellette décrit une agonie, celle de son père, mais surtout, comme l'écrit bien André Brochu, il nous montre « un transfert de la lumière entre deux hommes, père et fils, que le temps sépare mais qu'un sens réunit ». Cette poésie douloureuse reste donc celle d'une grande *espérance*. Ouellette demeure, dans ces poèmes haletants, fidèle à sa quête de lumière :

*Peut-être avait-il*
*des brassées de regrets*
*ou de remords ?*
*Il lui fallait*
*tout enfouir*
*avec les derniers*
*instants du corps.*
*Tout abandonner à la dépouille.*
*L'âme ne s'allégerait*

*qu'en désirant*
*les empennes des anges.*
*Il n'y avait pas*
*d'autre usage sensé*
*de l'agonie.*
*Une lumière nouvelle*
*se dirigeait sur lui*
*depuis les quatre points*
*du monde.*

ALPHONSE PICHÉ, au contraire de tout mysticisme, regarde la mort dans sa froideur et sa noirceur. En face d'elle, il décrit comment est détruite la beauté de la vie. Ses plus récents recueils, *Dernier profil* (1982) et *Sursis* (1987), jettent les regards les plus lucides sur la vieillesse et la mort. Ces livres sont ceux d'un de nos plus grands poètes.

Il sait voir les signes de notre condition mortelle, dans des notations lapidaires :

*Doux soleil d'hiver*
*quelques notes de Schubert*
*grignotent le cœur.*

Il a la nostalgie de ses amours anciennes et, sur ce plan, il faut dire que le poète né en 1927 n'a jamais été atteint par le féminisme : il voit toujours la femme comme un objet de pur plaisir. Mais Piché écrit aussi des poèmes de la plus grande tendresse :

*Mère j'ai côtoyé ton vieil âge*
*j'ai vu se faner tes jours et tes pensées*
*et se briser le rivage*
*où tes eaux maternelles*
*nous firent naître de ton amour*

*Tu es partie seule*
*dans le long couloir de la fin*

*emportant tes humbles soucis*
*de vertu et de nourriture*
*et les ailes de tes chants sur nos vies*
*sur nos trépas.*

Les poèmes d'Alphonse Piché sont comme les derniers tremblements de la lumière au bord de la nuit. Ils sont le *sursis* d'un homme qui se voit condamné à l'insoutenable. Il va mourir, il voit déjà le spectacle de l'horreur : les maladies, la vieillesse, le trou noir et puis rien.

À quoi sert d'avoir «la foi» demande le poète :

. . .
*Peureux déroutés*
*au sein de la mascarade vivante*
*ils lorgnent*
*la féerie des pylônes célestes*
*et broutant*
*parmi les fumiers de l'espérance*
*de brindilles de vie*
*ils fuient par petits bonds*
*tels des crapauds le long des sources*
*la boîte offerte aux proches pestilences.*

De même, pourquoi entretenir l'inquiétude métaphysique et s'embarrasser d'une quête d'absolu ?

. . .
*Porteurs aveugles d'âme incisée*
*révulsion utérine*
*promise à la pourriture*
*en friture bien revenue*
*dans les graisses divines*
*épicée aux abcès froids*
*de la métaphysique*
*poussée d'absolu*
*comme des envies d'urine.*

On le voit, Piché, écrit une poésie de la « ligne dure ». Mais pour contenir sa révolte et mieux combattre la peur de mourir, le poète attise aussi sa mémoire de quelques plaisirs sensuels. Même s'il n'ignore pas que la violence mortelle gagnera fatalement :

. . .
*Pauvre homme*
*laisse loin le grès de tes larmes*
*les antres de tes amours*
*les fuseaux défilés*
*des caresses anciennes*
*Arrache*
*comme des gales attentives*
*tes proches / les tiens*
*les lieux et les choses*
*écorces déchirées de ta vie.*

LOUKY BERSIANIK (née en 1930) donne un autre sens à sa réflexion sur la mort. Le ton de *Kerameikos* (1987) est ample et son chant veut recouvrir la douleur du monde. Voilà certes un des plus beaux poèmes des dernières années. Pour Louky Bersianik, la mort n'empêche pas le « triomphe » de la vie. C'est cette victoire qu'il nous faut reconnaître. Il faut aussi recouvrer la force innombrable des rituels de la vie :

*triomphe implacable de la vie sur tout ce qui vit... on ne peut l'approcher ni l'approfondir elle n'est personne en particulier aussi inévitable que la mort mais elle a horreur de l'éternité elle est quotidienne comme le matin... elle oppose le bonheur du corps à la symétrie des cristaux nulle équation n'a jamais eu lieu sans elle elle cette inconnue*

La mort, elle, nous est bien connue. Voyez Kerameikos, un cimetière de céramique et la nécropole antique la plus importante d'Athènes dès le Xe siècle avant Jésus-Christ. Cet espace de la mort, traversé par la Voie Sacrée, comprend des vases funéraires, urnes, amphores, des tombes, tertres puis terrasses ornées de stèles et de statues. Ce sont ces ruines que visite la poétesse. Car « l'art veut désigner la permanence du scandale » :

> *pourquoi disparais-tu si jeune dans la jeunesse du monde Hégéso (...) je veux presque toucher ton sentiment d'exil ce jour où tu disparais dans l'épaisseur des mots.*

Devant l'urne où elle voit « apparaître les cendres de l'amour », Bersianik éprouve la douleur de la continuité du monde :

> *quand la jarre s'éprend de l'eau oubliant sa fissure l'amour se répand en pure perte faute de vivant.*

Au fur et à mesure de cette réflexion sur la mort apparaît une conscience sociale et même cosmique qui lie l'individu au monde. Bersianik médite aussi sur l'amour, le désir et l'art. Elle oppose finalement la peur de vivre de l'homme nucléaire au sens de l'avenir de la femme, porteuse de mémoire et de vie. Ainsi la dernière partie de *Kerameikos*, qui s'intitule « ruines du futur », compose un appel pathétique.

Les hommes du nucléaire « n'ont trouvé dans la rue que décor jetable » :

> *ils sont les ancêtres de l'avenir avec les images fossiles de leur actualité (...) ils entassent les tessons mortels de leurs actes sur les toits des prochains siècles ils fabriquent de toutes pièces le futur archéologique leur existence a la densité du passé dans la marche insolente du devenir (...) la science déchire leurs diplômes le*

*folklore s'entiche de leurs poèmes cent fois leur modernité change de ton.*

Les femmes, elles, ont appris le sens de l'avenir : « elles ont réussi à déchiffrer les codes mortifères la sauvagerie des savoirs » :

> *nous cessons d'être visibles nos paysages disparaissent de l'horizon la terre s'imbibe de nos liquides elle sue le sang et l'eau de nos efforts s'approprie le réseau de nos nerfs pour mettre en orbite les générations nouvelles nous sommes les bois d'un curieux arbre peut-être l'unique survivant de notre ère (...)*

Et pendant que ceux-là « exhibent leur panoplie nucléaire dans la suie de la stratosphère », celles-ci ont « cessé de confondre la profondeur du ciel avec l'amnésie de leur désir profond » :

> *(...) ils incendient les forêts pour en savoir plus long sur l'hiver nucléaire (...) ils pratiquent la mort comme un hologramme à bout portant (...) j'écris à la mémoire d'une jeune fille rangée sous terre la tête parsemée de gigantesques montagnes tu deviens soudain le visible de la voix au cimetière contemporain des crépuscules ne dis plus qu'un corps peut se dissoudre dans ses larmes attends j'ai presque oublié le goût de la peur.*

## L'humour, la colère

Michel Garneau — Roger Des Roches
Marc Favreau — Patrick Straram le Bison ravi
Marie Savard — Gilbert Dupuis — Bernard Pozier
Claude Paradis — Hélène Monette
Marie-Claire Corbeil — Christiane Frenette
Louis Jacob — Yves Boisvert — Georges Langford
Michel Lemaire — Michel Savard — José Acquelin

Depuis les origines de la Nouvelle-France et les premiers bouleversements de son histoire, l'humour et la colère ont fondé la jeune tradition de notre poésie. Des premiers poèmes et chansons des « Patriotes anonymes » jusqu'au langage « exploréen » de Claude Gauvreau dans les années 1940, puis des monologues de Jean Narrache aux *Cantouques* de Gérald Godin dans les années 1960, ou des pirouettes surréalistes de Guy Delahaye à la mise en pièce des tabous sociaux par Roger Des Roches dans les années 1970, enfin de la révolte d'une Jovette Bernier jusqu'à celle des jeunes poètes d'aujourd'hui, un fil conducteur entretient la *résistance* des poètes aux lieux communs du langage et de la société.

Cette poésie de l'humour et de la colère, qu'on nomme «contre-culture» à certaines époques, prend le langage à témoin d'un académisme qui s'installe en littérature et du conservatisme qui sclérose les institutions sociales et politiques.

On retrouvera donc à ce chapitre des poètes qui utilisent la langue comme une arme de guerre ou de dérision. Tantôt leur colère éclate dans une certaine violence verbale, tantôt leur révolte sourd dans l'humour et le jeu des mots.

MICHEL GARNEAU (né en 1939) prend le langage à la fois comme une jouissance et une communication. Sa poésie, qui emprunte à la langue familière, raconte, souvent avec truculence, les joies et les peines de la vie sociale et individuelle.

En fait, il n'y a pas de poète plus joyeux que Garneau, en même temps qu'il reste toujours politique devant les événements qui nous concernent en tant qu'humains et Québécois. Depuis *Les Petits Chevals amoureux* (1977), sa poésie a pris un ton tout à fait personnel, ce qui nous vaut des pages sublimes décrivant des sensations et des sentiments ainsi que nos rapports au quotidien, à la culture et à la société. On retrouve l'ensemble de son œuvre sous le titre *Poésies complètes 1955-1987*. Le dernier tiers de ce fort volume se compose de poèmes inédits, écrits entre 1963 et 1987 et réunis sous le titre *Dans la jubilation du respir le cadeau* :

*du quotidien très rare au sublime ordinaire*
*je suis émerveillé et puis un peu inquiet*
*comme un minou dans la rosée*
*ou dans la neige ou sous la pluie*
*dans le réel tellement invraisemblable*
*qu'il me faut toute la force de l'imaginaire*
*pour y voir clair et y entrer*
*dans la jubilation du respir le cadeau oui*

Dans un ouvrage bien documenté de Claude Des Landes sur la vie et l'œuvre du poète et dramaturge, intitulé *Michel Garneau, écrivain public*, le poète se décrit comme un homme de parole et un artiste pour qui l'accession au politique a changé son « appétit de discourir en appétit de communiquer, c'est-à-dire de dialoguer ». Pour sa part, Des Landes précise que tous les écrits de Garneau convergent vers le même but : « l'expression de la liberté sous toutes les formes que le langage peut inventer pour traduire l'expérience humaine ».

Dans un entretien inédit, Garneau s'en prend à toute poésie narcissique. « La poésie, dit-il, c'est certainement le lieu du pire et du meilleur. Il n'y a rien de plus laid que la poésie égocentrique et complaisante », c'est-à-dire celle qui se fait prophétique, hermétique ou ignorante de ses conditions de production.

En choisissant d'intégrer l'oralité à son écriture, Garneau prend sa place dans une grande famille de poètes québécois qui réunit, entre autres, Pierre Perrault, Gilles Vigneault, Gérald Godin et Pierre Morency. Leurs poésies nous font voir l'état de la langue et *ce qui est la langue* à travers la transmission des savoirs et des sensations : une langue tellurique chez Perrault, archaïque chez Vigneault, de source paysanne chez Morency, puis transformée par la vie urbaine chez Godin et Garneau. Par ailleurs, d'autres poètes comme Gaston Miron et Jacques Brault ont souvent transformé la langue familière en une langue exclusivement littéraire.

Michel Garneau, pour sa part, écrit une poésie dont la force d'évocation se fonde essentiellement sur l'oralité. Pour lui, il faut choisir entre la tradition typographique de la poésie, initiée par Mallarmé, et la tradition orale des origines.

La poésie de Garneau doit donc se lire à voix haute. Les mots de ses poèmes voyagent dans l'espace avant de s'étaler sur la page. Chez lui, la poésie est une parole au sens le plus complet. Les mots doivent d'abord passer par la bouche et l'oreille pour retrouver tout notre sentiment de vivre. Que son poème porte l'inquiétude métaphysique, la critique sociale et politique ou dise la gourmandise du vécu, il reste fidèle à la forme sonore du langage. Citons, par exemple, une de ses « images du *refus global* » :

*les cruautés des autorités grossières*
*nous maîtriseront*
*tant que nous ne serons pas d'abord*
*les enfants de la lumière quotidienne*
*jouant dans la bonté de faire*
*et de dire et de chanter*
*voyant vite à travers l'élégance du cynisme*
*les falbalas de la dérision*
*les mystères*
*tous les mystères.*

Pour bien comprendre le parti pris de la poésie de Garneau, on pourrait se référer à cette phrase de la sagesse hindoue citée par Marguerite Yourcenar dans son livre *La Voix des choses*: « Tous les sons n'existent qu'en tant que formes de celui qui a pris le son pour forme ».

Non seulement l'humour mais l'ironie grinçante portent l'œuvre de ROGER DES ROCHES (né en 1950). Dans ses récents livres, il continue de dérouter le lecteur et de débusquer les tabous. De plus, ce poète, qui cultive le Moi comme une planète qu'on n'arrête pas de découvrir, prend plaisir à se placer toujours à côté de la coche et à nous *décevoir*.

Sa poésie dérange. Il le sait. Dans *Tout est normal, tout est terminé*, le poète nous confie :

*J'ai écrit tous les titres,*
*Mais pas les bons livres au bon moment.*
*On écrit tellement mieux que moi.*
*D'ailleurs, ils tiennent l'histoire, d'ailleurs,*
*je la visite, d'ailleurs, j'y songe.*
*Je m'enlève de son chemin. Je me console.*
*« De retour le Jour de la Science ».*
*Aujourd'hui, l'oreille collée sur le cadavre*
*d'un voyeur,*
*Je sens le fond de miroir, les métaphores,*
*La poésie allumée, la poésie éteinte...*

Ses derniers livres s'inscrivent à contre-courant de tout ce qu'on peut dire sur l'amour et le couple. *Le soleil tourne autour de la terre* (1985) raconte en quarante-huit proses une aventure de couple vue à travers l'égocentrisme et le machisme du narrateur. « L'autre est un jouet », dit le poète qui, dans son ironie, se prend pour un adolescent découvrant l'amour pour lui seul. Ainsi l'amour serait un jeu et la femme, un pur objet de plaisir à posséder.

En fait, Des Roches est un de ceux qui ont initié, dans les années soixante-dix, la poésie du corps, de l'autobiographie et des jeux de langage, comme l'a rappelé récemment le critique Gilles Toupin. Son petit livre intitulé *Tout est normal, tout est terminé* (1987) continue d'explorer le drame individuel. Le narrateur se présente ici sous la figure du Célibataire, un homme amer, décu, apeuré par la complexité des rapports amoureux. Pour ce Célibataire, « la douleur ne s'écrit pas et la tendresse est inhumaine ». Ainsi : « Il est sûrement dangereux d'écrire que j'ai plus peur de l'amour que de la maladie ».

Il y a chez ce Célibataire une mélancolie devant la difficulté de vivre. « C'est la peur d'écrire qui me fait écrire », dit-il, puis plus loin, au sujet de l'amour : « Moi, je veux faire l'éloge de la Facilité », ou encore : « Je suis plus petit que la somme de mes conquêtes ».

L'ironie de Des Roches se transforme en une sorte d'aveu absolu qui finit par être touchant et qui refuse de tout prendre pour acquis : « On n'écrit pas des poèmes, on les corrige ». De même, le Célibataire a beau vouloir remplacer le sentiment amoureux par la seule répétition du plaisir, il ne peut pas se passer finalement de l'autre. Le risque du poète Des Roches, c'est bien de *dévoiler* son désir :

*Je lui dis que la beauté a été inventée afin*
*qu'on la sépare des sentiments.*
*Elle me demande :*
*« Que ferais-tu si je n'avais pas de corps ? »*
*Je lui réponds :*
*« J'aurais honte du mien. »*

D'autres poètes vont s'adonner aux jeux de langage pour amorcer une critique sociale. MARC FAVREAU (né en 1929) est un comédien qui est devenu poète populaire à travers son personnage le clown Sol. Son propos réinvente le langage dans un miroir surréalisant d'une efficacité nouvelle. Ses textes font appel à des préoccupations individuelles et sociales par des jeux de langage qui n'ont rien de gratuit et témoignent d'une conscience aiguë de la vie contemporaine.

La poésie de Favreau devient le contraire de celle de Jean Narrache : l'humour délirant des mots a remplacé le langage du misérabilisme comme critique sociale.

Favreau s'empresse, comme les enfants, de déformer les mots afin d'en faire dévier le sens et de susciter de nouvelles images. Ainsi l'hôtesse de l'air devient l'altesse, la rétine la crétine, pâmées et oisives font pâmoisives.

« On dirait quasiment assister, note le critique Jean-V. Dufresne, au caprice étonnant de la parthénogénèse, comme si les cellules de mots se divisaient sans mobile visible, un acte de création à l'état pur, pour le seul plaisir de se réinventer. Ou alors, tout est terriblement ordonné dans la tête de cet homme, à qui la nature aurait accordé le privilège de contempler l'intérieur d'un atome sans microscope, ou le cosmos à l'œil nu — ce qui revient très rigoureusement au même — pour voir comment tout cela bouge merveilleusement ».

En fait, pour Favreau, il ne suffit pas de nommer les choses pour inventer un langage. Au contraire, il faut réinventer les mots pour retrouver l'ordre des choses. Le mot est réfléchi dans un miroir déformant — surréalisant — et les métamorphoses du langage conduisent le poète à une véritable critique de la vie contemporaine.

Personnage naïf, le clown Sol a la permission d'être criant de vérité. Il peut aborder tous les sujets, du quotidien au métaphysique, en passant par la politique et la culture.

Ainsi dans son livre *L'Univers est dans la pomme* (1987), où Favreau réunit quelques-uns de ses meilleurs textes, il est question des « indigents », des « œufs limpides », du « solide à terre », du « crépuscule des vieux », de la « purée culture », du féminisme, d'un « costaunaute », d'un certain géant nommé Félix Leclerc, et d'un serpent qui invite notre ancêtre « le premier venu » à sortir du paradis terrestre :

*Si tu rêves de rouler ta bosse de sept lieues...*
*Et si tu veux venger tous les sentiers battus...*

*en battant la campagne sur son propre terrain...*

*Si t'as placé tes sous dans une saltimbanque*
*au lieu de tout risquer en jouant à la roulotte...*

*Si t'en peux plus de voir les fourmis à tes genoux*
*si tu penses qu'à sortir de ta démangeaison...*

*Si t'as de plus en plus besoin de cheminer*
*passque ta résidence est devenue secondaire...*

*Et surtout surtout si tu sais prendre ton pied*
*et le mettre devant l'autre*

*Alors va ! Tu seras un hommade, mon fils...!*

Parmi les poètes dits de la « contre-culture », un des plus colorés reste PATRICK STRARAM LE BISON RAVI (né à Paris en 1934, il s'installe en 1958 à Montréal où il mourra en 1988). Straram a toujours voulu incarner le personnage du poète omniprésent dans la société, à l'écoute de ce qui se produit du côté de l'art. Son personnage serait celui du gourou intellectuel, animateur cultivé des lettres dont la vie même est poésie.

Ce personnage, Straram l'a réussi avec une santé intellectuelle et morale à toute épreuve. Sa présence parmi les poètes, les cinéastes et les musiciens montréalais a toujours été exemplaire. Elle s'est incarnée aussi dans quelques livres de circonstance et d'apprentissage qui ont marqué les années soixante-dix.

C'est dans son livre intitulé *Blues clair, quatre quatuors en trains qu'amour advienne*, qui s'accompagne de dessins de Francine Simonin, que Straram nous donne ce qui pourrait bien être une sorte d'art poétique, rempli de citations de l'époque, cousu des noms d'écrivains, de cinéastes et de musiciens qu'il aime, écrit en compagnie des poètes qu'il fréquente.

Ce livre baroque se présente, en fait, comme un

journal littéraire où Straram réunit des poèmes, des citations, des aphorismes et des mots d'amitié. « Je travaille à nommer toutes les voix qui font ma voix », nous renvoie l'écho du laboratoire de Straram.

« Et j'ai erré, l'idée fixe mais disponible et questionnant, et ce fut la vie la plus douloureuse, mais quels jouirs ! et je n'en aurais pas voulu d'autre », écrit-il, précisant plus loin le choix de son totem d'après l'anagramme de Boris Vian :

> *Ainsi me suis-je nommé le Bison ravi, et c'est partie intrinsèque de l'étrangeté que j'entends vivre et dire (l'afficher constante et toujours changée) au sein d'une société pourrie et criminelle, dussé-je y être même je succomberais, et c'est dialectique que je vis : ravi : très content, comblé, enchanté ; ravi : pris par violence ou par ruse, abusé illégalement, violé.*

MARIE SAVARD (née en 1936), écrit et chante depuis les années 1960 le *blues* de la résistance féminine. Elle assume jusqu'au bout sa voix de femme contre les fabulations de l'Histoire. Sa chanson prend un air de combat et non celui de la rengaine. Sa poésie respire autrement que toutes nos métaphores. Son écriture fait fondre les muselières, éprouve nos silences. Depuis *Les Coins de l'ove* (1965), l'œuvre de Marie Savard défait le moule des idées reçues.

Ainsi son plus récent livre, qui s'intitule *Sur l'air d'Iphigénie* (1984), déroute notre lecture avant de nous envoûter. Ce texte écrit pour le théâtre est en fait un poème qui constitue peut-être le meilleur ouvrage de celle qui fondait les éditions de la Pleine Lune en 1975.

Dans la mythologie grecque, on le sait, Iphigénie est sacrifiée aux dieux par son père Agamemnon. Dans le livre de Marie Savard, c'est Iphigénie qui « aura lieu » et non la guerre de Troie.

Michel Garneau

Roger Des Roches

Élise Turcotte

Antonio D'Alfonso

Ce poème dramatique nous fait assister à la confrontation de Clytemnestre et d'Électre sur les chemins de la lucidité. À travers leur dialogue, elles « écrasent la boule à mythes ». Au-delà de leur propre guerre, elles cherchent « la soudure possible ». La mère et la fille défont des fables connues et des chansons de préjugés. Après leur chicane, les femmes ne sont plus des « ramasseuses de pots-cassés ». Elles recommencent à vivre dans leur propre parole.

Le texte de Marie Savard, qui s'écrit contre les lieux communs d'une mythologie qui « sortit toute équipée de l'imaginaire du père » et d'un folklore inventé de mémoire d'homme, ne se contente pas de nier cette Histoire qui s'est écrite aux dépens de la femme : il nous fait surtout entendre des voix nourries à même les silences de la morte. C'est bien l'air d'Iphigénie qu'on y entend. Dans la beauté de ce texte, la colère est de rigueur et la poésie gagne du terrain :

*(...)*
*la triste déchirure*
*d'une vierge encor vierge*
*qui habite la morte*
*des lits à baldaquin*
*la triste déchirure*
*d'une vieille encor vierge*
*dont les enfants distraits*
*ont des cheveux troublants*

*je ne sais plus très bien ce que j'attends de moi*
*ou qui j'attends*
*mais je sais que la terre est trop loin de mes os*
*(...)*

Contre la décadence de la civilisation actuelle, la poésie se met souvent à crier, à la manière du *rock'n roll*, ou à décaper les signes selon les leçons d'un

Deleuze. Ainsi les nouveaux poètes de la contre-culture épousent les mythes de l'Amérique et le vocabulaire de son bric-à-brac quotidien pour en dénoncer le vide ou la culture « jetable ».

Gilbert Dupuis (né en 1947) est de ces poètes qui ne lâchent pas prise devant les violences du quotidien, quand il écrit, dans son recueil *La Tête dans le crin*, son credo de rockeur urbain :

> *Qu'est-ce que c'est que ces poètes qui regardent le monde sans avoir l'air d'y toucher, sans avoir l'air d'en être de l'organisation, de la ville, de la consommation et de la statistique Qu'est-ce que c'est que ces mal-pris du souffle court au texte...*

En fait, certains poètes cultivent l'humour comme d'autres la mélancolie. Jean-Marc Cormier, dans *Westernité*, se tient près de la chanson et du manifeste.

Bernard Pozier (né en 1955), suit les traces de Lucien Francœur et se met à l'écoute des chansons de Morrison avec la poésie litanique de *Lost Angeles* et de *45 Tours* :

> *je suis au bar avec une bande de lézards*
> *leurs langues fourchues traînent dans leurs verres*
> *le barman est venimeux*
> *c'est moi qui paie toute la bière*

C'est dans un recueil qui se veut propédeutique, *Tête de lecture* (1980), que Bernard Pozier se fait le plus original. Ce livre veut préciser en quelque sorte le manifeste *Jet / usage / résidu* (1977), qu'il avait écrit en collaboration avec Yves Boisvert et Louis Jacob, et propose un regard sur les exigences de « l'écriture de l'époque ».

Après un survol historique et thématique de la poésie des dernières années, Pozier nous donne une sorte de « guide technique » et savant pour revenir au « principe du zéro conscient », afin d'éviter toute répétition des idées et des formes.

Dans la dernière partie du livre, Pozier rappelle, sous forme d'aphorismes, ce qui pourait être l'« art poétique » d'une poésie vraiment renouvelée. Il écrit, par exemple :

> *L'imaginaire fonctionne par gratuité... pas de sens, seulement l'effet.*
>
> *L'usage d'un jet ou d'un effet transforme le résidu en unité de sens.*
>
> *En littérature, toutes les preuves sont de trop.*
>
> *Le sens se structure au rythme de l'effet.*

Enfin, Bernard Pozier reviendra à la poésie dans *Bacilles de tendresse* (1985), où les meilleurs textes sont peut-être ceux qui oublient « l'effet » (le jeu de mot, l'allitération ou le calembour) pour la « gratuité » de l'émotion. Ainsi dans certaines pages le poète retrouve-t-il une voix personnelle.

La continuité de la poésie rock, c'est chez CLAUDE PARADIS qu'on la reconnaît. Dans *Stérile Amérique* (1985), son premier recueil, on lit déjà un ton personnel, une écriture maîtrisée. On s'étonne de lire chez un jeune poète tant de violence, mais on sait que c'est la loi du refus qui anime un véritable rocker :

> *je refais l'amérique des rêves*
> *vêtu de cuir*
> *je deviens ce rocker quelconque*
> *je me stérilise*
> *de peur d'être à nouveau*

D'autres poètes des années 1980 haussent la voix et remettent en question la société de consommation, du confort et de l'indifférence. Ils s'attaquent aussi à la violence dérisoire qui étreint l'individu de cette fin de siècle.

Dans *Montréal brûle-t-elle ?* (1987), HÉLÈNE MONETTE ironise et crie contre les institutions sociales et politiques où l'on maquille la détresse du réel. Il y a dans son livre une vigueur irrésistible, une énergie imbattable où la poésie devient un manifeste écologique au sens le plus large. Plus loin que l'ironie s'installe la révolte contre une société « grotesque (où) tout le monde fait semblant » :

*et moi je vous regarde à peine*
*à tort comme de travers*
*et moi je*
*suis amère déjà complètement*
*sur glace*
*déjà assassinée dans l'ordre*
*des choses*

Sur un autre ton, MARIE-CLAIRE CORBEIL (née en 1954) écrit le cauchemar de vivre en notre époque. La prose coupante de *Inlandsis* déchire des ombres et dénonce l'antimonde dans lequel nous vivons si mal. Elle « imagine » le destin de l'homme en fantasmant sous forme de paysage (« inlandsis », « ville » et « falaise ») un monde intérieur :

*Imaginez l'inlandsis : sol édenté, rongé par la brume, sol incertain, mer et terre confondues. Imaginez-le gris, oppressant, sans confins ; bosselé, crevassé, hérissé de strastuggis.*

Dans ce recueil étonnant, qui s'inscrit par deux épigraphes à la suite de Paul-Marie Lapointe et Saint-Denys-Garneau, Marie-Claire Corbeil tient, dans la nudité de son langage, un propos métaphysique, où l'on voit l'homme dans sa solitude, face contre sol, aux prises avec le froid du monde, avec cette coupole polaire qu'est l'inlandsis.

On peut dire que ce livre de Marie-Claire Corbeil se révèle un des plus originaux de la poésie des années 1980.

L'affrontement avec le monde, la vie à refaire contre un certain désespoir, le combat pour l'identité de soi et l'amour de l'autre, c'est aussi ce qu'on retrouve chez CHRISTIANE FRENETTE (née en 1954). Son recueil *Indigo Nuit* (1986) se constitue de proses dont l'écriture est bien maîtrisée et qui nous parlent d'une « femme des émeutes silencieuses » :

> *peut-être aurait-il fallu ne plus ouvrir les yeux ne plus courir ne plus bouger mais il y a la mémoire qui te presse de vivre dans les décombres le matin efface les siècles le café brûle la rue nos mains aux multiples évidences le courage nous attend.*

Avec le septième recueil de LOUIS JACOB (né en 1954), *Des noirceurs du corps* (1987), nous nous retrouvons dans la nuit du corps comme dans la nuit du monde. Le poète poursuit son inventaire de la solitude et de la souffrance. Ses mots sont ceux du cœur, ceux des nerfs et des dents. La complainte de Louis Jacob continue d'aiguiser notre mémoire du monde et sa musique grinçante nous empêche de ronronner de contentement.

Ce recueil, en écho au précédent (*Sur le fond de l'air*, 1984), nous fait entendre la poésie de Jacob comme celle des *protest songs* :

> *Quand nos doigts dessinent la terre*
> *comme un seul corps*
> *et que tout y tient dans une seule main*

*comme en un seul humain*
*couché dans la nuit qui s'épiderme chaude*
*quand cette nuit de chaleur pense à toi*
*et que ça lèche l'enfance des grosses plaies*
*quand on répète il le faut*
*et qu'on finit par dire ça va aller.*

Le dernier des poètes *rockers*, YVES BOISVERT (né en 1950), est une sorte de rebelle sympathique qui écrit ce qu'il appelle des « poèmes sauvés du monde ». Sa poésie constitue l'inventaire d'une révolte quotidienne dans un recueil comme *Gardez tout* (1987), mais le polémique le cède au lyrisme dans *Chiffrage des offenses*, où ce poète romantique finit par faire l'éloge de la vie :

*nous avons nos corps*
*il y a des corps partout*
*il n'y a donc que des corps*
*du pôle à la flamme infiniment de*
*toutes les façons*
*l'amour a quelque chose*
*que n'ont pas les autres saisons*

GEORGES LANGFORD (né en 1948), loin de tous les courants de la poésie actuelle, écrit, pour sa part, à rebours du romantisme. Il faut dire que ce poète est né aux Îles de la Madeleine quelques années à peine avant que l'électricité n'arrive et fasse advenir le vingtième siècle dans l'archipel. Son poème picaresque, intitulé *L'Anse-aux-Demoiselles* (1985), raconte le passage des insulaires de leur monde ancien à notre époque moderne. Ce texte d'un humour mordant raconte véritablement l'épopée récente des Madelinots.

*L'Anse-aux-Demoiselles* se présente comme une sorte de poème dramatique versifié, avec ses personnages, ses atmosphères et ses scènes de la vie quotidienne devenues légendes. Langford fonde son poème sur le langage acadien et nous fait assister à une comédie de caractère qui tire sa profondeur de la critique sociale et d'une ironie décapante :

*l'inconcevable a été vu*
*par ceux qui vont sur la Grand-Terre*
*le commentaire est net et cru*
*nous sommes vingt ans en arrière*

*fines fleurs de l'extravagance*
*miracles à la pelletée*
*la lumière sur l'ignorance*
*a pour nom électricité...*

Cette allégorie d'une société en retard sur elle-même a des accents universels et exemplaires :

*le Revirement c'était urgent dans*
*tous les domaines*
*quand tu dis un archipel ignorant*
*tout de lui-même*
*ses propres îles incapables de*
*communiquer entre elles*

*des choses qui se passaient à deux pas*
*et qui ne se rendaient pas*

*la maladie emportait du monde sans nous avertir*

*quand la cloche sonnait tout était fini.*

*on entendait parler de la guerre à l'armistice*

*quelqu'un des tiens allait chercher de l'ouvrage en*
*dehors*

*on avait de ses nouvelles à sa retraite*
...

L'humour devient le cynisme du dandy, chez MICHEL LEMAIRE (né en France en 1946, il arrive à Montréal en 1953). Après un premier recueil, *L'Envers des choses* (1976), et un essai sur *Le Dandysme de Baudelaire à Mallarmé* (1978), il publie *Ambre gris* (1985), une poésie litanique du désespoir « en costume d'époque ». Le gris est la couleur préférée du dandy. Celui-ci se détache de ce qu'il voit avec un air désabusé. Il sait que tous ces événements minuscules comme tous ces grands voyages de la vie ne mènent qu'à un non-lieu : la mort.

Le recueil de Lemaire n'évite pas toujours les lieux communs et se laisse aller à des énumérations faciles qui voudraient créer une hyperréalité exacerbée de notre époque. Mais ce qui sauve cette poésie c'est, parfois, une émotion qui oublie de calculer ses effets et nous parle directement :

> *N'aie pas peur, dit la mère,*
> *N'aie pas peur de la nuit.*
> *On meurt tous les soirs, c'est vrai,*
> *Mais dors avec les monstres,*
> *Dors parmi les chacals*
> *Et les gnomes bavards*
> *Et les arthropodes innombrables.*

MICHEL SAVARD (né en 1953), dans *Le Sourire des chefs* (1987), calcule ses effets, mais ne manque jamais de tact. Il devient, dans ce fort recueil, le poète de la colère contenue et assumée jusqu'à la nausée, jusqu'au bout des mots, à « l'extrême limite » de l'engagement. C'est-à-dire que le poète ici n'est pas cynique ni désabusé. Au contraire, il s'engage dans les mots de son regard avec une précision de clinicien, avec de la suite dans les idées. La vie vaut sa colère. La lucidité du poète vaut encore d'être écrite. Ce qu'il y a de dérisoire, désormais, c'est « le sourire des chefs » devant le peu d'âme qu'il faut au troupeau pour les suivre.

Dans *Forages* (1982) puis dans *Cahiers d'anatomie (complicités)* (1985), Michel Savard affinait son langage en parlant du quotidien et de l'amour un peu à la manière de Michel Beaulieu. Dans *Le Sourire des chefs*, il trouve une voix personnelle dans une éconoxmie de langage sans pareil pour dire la colère devant la vie perdue.

Quatre suites composent le recueil : « petit déjeuner », « mur de briques », « cela » et « nationalismes ». Le poète explore les vides et les pleins de l'esclavage quotidien, il se penche sur les « débris d'humanité » dans « ce jour / rien qui vaille », avec ses nouvelles à la radio et ses « fritures météo ».

La suite la plus étonnante du recueil est peut-être celle du « mur de briques » qui arrête le ciel et que le poète, solitaire dans sa nuit, ne cesse de prendre à témoin. Ce mur évoque, en fait, dans sa nudité, son hiératisme, son mutisme et sa « rectitude même », les violences de la solitude. Rares sont les poètes qui ont évoqué les lieux urbains avec autant de force et de précision que Michel Savard le fait ici, tout en prolongeant sa méditation dans une interrogation métaphysique :

*sa forme forcément*
*se prête mal à l'étreinte des hommes*
*et face au mur l'humain*
*bute*
*tergiverse glose et se lamente*
*d'avenirs et d'univers*
*à jamais interdits*
...

Cette réflexion sur la nuit de l'homme se continue dans une colère contre la guerre et ses effets. Puis le recueil se ferme avec des regards implacables du poète sur l'histoire des Québécois. « Nationalismes » ne fait pas de concession aux faiblesses d'un peuple. « Ainsi nous sommes », écrit Savard, tantôt « victimes » et « quelque part invaincus ». Il y a dans ces derniers poèmes un certain désespoir devant une situation qui s'accorde avec ce que Denys Arcand appelait « le confort et l'indifférence » :

*ainsi nous sommes*
*tout de passion mesurée*
*mais les assiettes débordent*
*le sens de cette liberté de langue*
*de culte dans nos échanges électriques*
*les bons mots sont des armes*
*passées par les violons*

Michel Savard démontre ici une audace certaine. Sa suite « nationalismes » pose de nouveau en poésie la question de l'identité et du destin du Québec :

*ainsi nous sommes*
*allégés des fers du destin*
*à fêter notre chance américaine*
*de n'être plus réduits à lutter*
*pour la plus simple expression*
*mais promus dans la ligue*
*où toute parole est d'argent.*

Avec son premier recueil, intitulé *Tout va rien* (1987), José Acquelin (né en 1956) apporte un ton nouveau dans la poésie récente au Québec. Ses poèmes inventent une cosmogonie des contraires, cultivent l'anthropomorphisme et se parent d'humour en pleine détresse.

Pour Acquelin, l'homme est un piéton immobile de la terre qui tourne et la vie est « cette flèche boomerang décrivant le zéro parfait ». Il ne reste à l'individu, dit le poète, que « ce peu insignifiant de mon absence ». Car il sait que « le temps est un passant dont nous ne sommes que le chien ».

On peut lire ces poèmes de désespoir comme des appels au détachement en même temps que des invitations à inventer sa propre « présence » au monde.

Le langage de José Acquelin se nourrit du culte des contraires, afin de déjouer l'énigme du monde :

*le soleil est noir parce que la lune est blanche*
*le ciel est un avion qui n'a jamais atterri*
*étoiles vous n'êtes pas loin*
*c'est nous qui ne sommes pas proches.*

Tout au long de la lecture de ce recueil, on est remué par le renouveau de ce ton qui a l'audace de défaire la langage familier, puis de l'intégrer à une vision lucide — cynique et tendre à la fois — de la vie.

Comment ne pas citer ce poème qui définit bien la démarche de José Acquelin et le ton irrésistible de cette voix neuve :

*l'œil pelé la barbe faite*
*ce qu'il peut rester d'un je en ville*
*avance dans un des matins de ce monde*
*c'est un passage du particulier au général*
*qui se fait souvent aux heures d'influence*
*jusque-là ça va mais sans l'arbre*
*(sur l'autre côté de ce même monde*
*et en même temps : un soir recule)*
*qui subito par son seul vert*
*dévertèbre tout ce qui m'a*
*fait croire poète.*

# Le kaléidoscope

Anthony Phelps — Barbara Délano
Alberto Kurapel — Stephanos Constantinides
Mircea Andriesanu — Mona Latif-Ghattas
Nadine Ltaif — Bernard Antoun
Paul Zumthor — Fulvio Caccia
Antonio D'Alfonso

Le Québec n'est plus depuis longtemps une société monolithique, exclusivement catholique et homogène, voire « familiale », ancrée dans les seules traditions françaises du XVIe siècle. Après la Révolution tranquille des années 1960 et l'évolution socio-économique et technologique qui s'ensuivit, après cette ouverture au monde que fut l'Exposition universelle de 1967 à Montréal, puis l'accueil des immigrants d'Europe, d'Orient et d'Amérique, après le nationalisme — culturel dans les années 1970, économique dans les années 1980 — le Québec est devenu une société diversifiée. Les ethnies culturelles venues d'ailleurs commencent à compter dans l'évolution de sa société.

Mais si l'on regarde la situation sociale nouvelle, on s'aperçoit qu'elle donne lieu déjà à un kaléidoscope littéraire qui se déploie de manière fascinante. En poésie, le métissage culturel réactive plusieurs thèmes et surtout celui de l'identité, bien sûr.

La poésie québécoise avait déjà accueilli quelques

poètes d'Europe et d'ailleurs : Michel van Schendel (France) et Alain Horic (Croatie) dans les années 1950, Serge Legagneur et d'autres poètes haïtiens dans les années 1960, Jean Hallal et Anne-Marie Alonzo venus plus tard d'Égypte. Ces poètes de langue française ont vite pris leur place en poésie québécoise — comme nous l'avons vu dans les chapitres précédents.

Aujourd'hui, il devient naturel de consacrer les dernières pages de cet itinéraire de la poésie québécoise à des poètes venus d'autres cultures. Non pas pour les isoler dans un ghetto, mais pour mieux souligner la richesse de ce qu'ils apportent à la définition d'un Québec culturellement renouvelé.

Quand il arrive à Montréal en 1964, ANTHONY PHELPS (né à Port-au-Prince en 1928) a déjà un passé littéraire en Haïti. Il avait fait du théâtre et de la radio. Il avait fondé la revue *Semences* et le groupe de poètes « Haïti littéraire » en compagnie de Davertige, Philoctête, Serge Legagneur et Roland Morrisseau. Ces deux derniers vont rejoindre Phelps à Montréal en 1965. Ce sera alors la belle époque du Perchoir d'Haïti où les poètes haïtiens donneront des récitals en compagnie de poètes québécois dont Gaston Miron, Raoul Duguay, Juan Garcia et Gilbert Langevin, entre autres.

Vivant hors de son pays, Anthony Phelps tient à conserver les racines de sa culture. Ses plus récents recueils de poésie, *La Bélière Caraïbe* et *Même le soleil est nu*, font appel à sa mémoire historique, aux paysages de l'enfance, au temps heureux de son adolescence. Sa poésie se fait chant de sa vie haïtienne :

*Soleil noir et de miel*
*mon délire va et vient*
*rien que vent et mouvement*
*le Temps n'a point d'enclave*

*Pendule il se balance*
*Roue*
*de tous ses rayons*
*moins un jamais le même*
*Désir*
*il se projette*
*gommant l'étoupe et l'aigre*
*Mon délire va et vient*
*Roi et Mendiant de ma Mémoire.*

Le ton se fera plus ample dans *Orchidée nègre* (1987), qui lui a valu le prix Casa de las Americas, attribué à Cuba :

*Mais je ne suis que fleur*
*dit l'Orchidée au vent hâleur et questionneur*
*Ne suis que sexe offert*
*sur toile d'écorce rugueuse*
*ou sur fond d'air domestiqué*
*Je suis Orchidée nègre et d'Amérique métisse*
*étoile et voile de mon errance.*

Avec un lyrisme tour à tour ému et ironique, Anthony Phelps dessine une mosaïque de l'âme haïtienne, à travers ses âges d'esclavage et de liberté. Le poète réaffirme sa présence dans une parole qui veut traverser l'histoire de la Caraïbe, « ventre mou et Berceau du Nouveau Monde ». Ainsi écrit-il, dans cette prose intitulée « Portrait prémonitoire du poète en fil à plomb » :

*Rectitude, ma nourricière, le dard plein d'aboiements mes vieilles douleurs se conjurent.*

*Je me dessine, en mes dernières années nombreuses, lentes, paisibles, debout en chaudes paroles, collier de réglisse au cou, tête nue, bras allongé de verre : calice offert au partage.*

*(...)*

*Quand vous aurez besoin de moi pour une Parole, un Regard fraternel, vous me trouverez planté au plus haut de la Montagne, où répandu en cendres sur ses pentes exposées.*

D'autres écrivains sont venus d'Amérique latine. Des liens d'amitié se sont créés entre Québécois et Chiliens, par exemple. Marilú Mallet, romancière et cinéaste, a conquis les Montréalais avec son film *Journal inachevé*, qui retrace le destin difficile d'une femme en exil. Des poètes chiliens se sont aussi fait connaître au Québec, après le coup de force contre Allende.

BARBARA DÉLANO (née en 1962 à Santiago du Chili) habite le Mexique mais visite régulièrement ses amis à Montréal, où elle a publié un recueil bilingue, *El rumor de la nieble ! La rumeur de la brume*. Des poèmes de « mort et transfiguration » disent les douleurs du peuple chilien sous la dictature militaire, presque le désespoir :

*La pluie, la douleur, une même chose.*

*Les clous usés avec lesquels les hommes*
*ont décidé de me marquer*
*ont un même ancêtre*
*dans la nuit, comme une même roue.*
*Je n'espère déjà plus rien.*

*La nuit des temps est*
*une bouteille sans fond*
*d'où coulent de tristes souvenirs.*

*El fondo del tiempo es*
*une botella perdida que*
*se enlaza con algunas fotografias tristes.*

Un autre Chilien ALBERTO KURAPEL (né en 1946 à Santiago), mène depuis 1974 à Montréal une vie culturelle active. Agrégé de l'École de théâtre de l'Université du Chili où il fut aussi comédien de 1968 à 1973, cet artiste mutidisciplinaire a fondé à Montréal la « Compagnie des Arts Exilio », un groupe de théâtre-performance latino-américain dont les créations « s'insèrent dans le phénomène de l'exil et l'activation de la mémoire comme phénomène social ».

Auteur-compositeur, Kurapel a publié six microsillons de 1974 à 1986 et fait paraître en édition bilingue un recueil de poésie qu'il intitule *Correo de exilio / Courrier de l'exil.* « Ce poème, dit Kurapel, on pourrait le cataloguer dans un genre que l'on nommerait « Poésie-postale ». Langage résultant d'une situation sociale déterminante : l'Exil, réfléchi dans un long poème, dans lequel la séquence de la pensée, interrompue par un éloignement géographique et psychique essaie de retrouver l'identité perdue » :

*Les origines se sont perdues,*
*l'indigène qui parfois gênait*
*s'est endormi dans le congélateur General Electric*
*Ce sont les dieux*
*qui font pleurer la femme*
*et gueuler l'homme.*
*Le sang trouble*
*et rend plus noires*
*les lunettes fumées*
*Les bourgeois*
*de plus en plus décrépits*
*bavent et tuent*
*d'en haut.*
*La terre se couvre de casquettes militaires*
*et tout se passe avec un canon de mitraille*
*dans les recoins de la pensée.*

Stephanos Constantinides (né à Chypre en 1941, il arrive au Québec en 1976) est professeur d'université, journaliste et fonctionnaire engagé dans les relations entre le gouvernement du Québec et les communautés culturelles. Poète, il a publié deux recueils à Nicosie : *Investir dans le temps d'un rêve et de quelques témoignages* (1969) et *Prière de ne pas cracher dans l'autobus* (1979).

C'est à Montréal en 1984 que Constantinides fera paraître en édition bilingue *Anthumes*, une anthologie de ses premiers poèmes autobiographiques et politiques auxquels s'ajoutent quelques inédits.

On y entend la poésie simple d'un combattant solitaire, à la voix ironique et parfois amère, pour qui la condition d'esclave, d'exilé, de réfugié fait partie de la condition humaine et ne date pas seulement de l'occupation anglaise de l'île de Chypre ni de son invasion récente par la soldatesque turque.

Ce poète contestataire de toutes les servitudes qui oppriment l'homme fait référence parfois dans ses textes à Georges Séféris, Constantin Cavafy et Manolis Anagnostakis. Tantôt il raille l'utilisation tendancieuse des valeurs helléno-chrétiennes prônées par la Junte militaire grecque pendant la dictature (1967-1974). Tantôt il dénonce les impostures de l'histoire officielle.

Ses sarcasmes pleurent la perte de la démocratie en son pays ou bien « les exploits du monde civilisé » : Auschwitz, Dachau, le Viêt Nam, Chypre juillet 1974, etc. Ailleurs, ce sont les vanités de la vie qu'il évoque :

*Et notre vie est devenue voyage*
*et nous cherchons d'étranges choses*
*dont la valeur marchande*
*ne cesse de*

*s'effriter*
*une période de grande crise dit-on.*

Mais le poète, malgré l'amertume solitaire de ses mots, conserve un espoir en l'humain :

*Toujours une lueur d'espoir luit*
*au fin fond de nous-mêmes*
*— pour certaine que soit notre chute.*
*Déjà les Achéens ont réduit*
*Hécube en esclavage,*
*des lamentations retentissent*
*dans Troie saccagée*
*et alors même que le vaillant Hector*
*n'est plus là*
*pour nous défendre...*
*Et pourtant*
*toujours une lueur d'espoir luit*
*au fin fond de nous-mêmes.*

MIRCEA ANDRIESANU (né en 1928), poète québécois d'origine roumaine, a intitulé son plus récent recueil : *Sous le signe de Dracula*. Dans ses fantasmes virulents, cette poésie de langue française traite du « monde qui nous entoure ici ou ailleurs, qui pullule sous nos yeux d'une manière hallucinante. Dracula y a une présence symbolique mais véridique et redoutable ».

Non Dracula n'est pas mort ! Le voici, tyrannique, sanguinaire et démoniaque, qui exerce son empire sur notre monde. Le voici dans un univers de gravité tragique où se mêlent la malice et l'humour. Dans ce recueil, nous rencontrons Frankenstein XIV, ses fiancées et ses mousquetaires, ainsi que les éleveurs d'hyènes, sans oublier Dracula à Bocharest ou Babylone. Voici « les instants d'amour de Dracula » :

*Voila partout*
*la famille de Dracula*
*les descendants incapables d'amour*
*attendant de s'abreuver*
*aux sources du sang*
*Voyez-les sillonner*
*les chemins du monde*
*aux instruments d'enfer*
*et discours profanés*
*Leurs yeux pervers*
*lasers de feu*
*tuent griffons et hippogriffes*
*et aussi facilement n'importe*
*quel être vivant*
*Tels sont les instants d'amour*
*des acolytes de Dracula*
*Une armée de spectres bénit*
*les ensorceleurs des mots*
*qui se promènent sur le Styx*
*en canoë d'où un orchestre invisible*
*interprète les Préludes de Noé.*

Après ces « hurlements du néant », Andriesanu propose en deuxième partie de son recueil des « madrigaux à l'azur ». Après les poèmes-cauchemars, les chants d'innocence font un contraste étonnant. Le poète y évoque « la cloche de poésie » et « les fleurs de l'esprit », non sans tendresse parfois, non sans humour encore :

*Un arbre pleure*
*sur les cadavres de ses frères*
*au visage de papier*
*Les forêts mortes*
*geignent dans les pages*
*où gisent les bévues*
*Personne ne sait rien*

*ou feint de rien savoir*
*Seuls les oiseaux*
*se demandent naïvement*
*pourquoi pleurent et meurent*
*les arbres du monde.*

MONA LATIF-GHATTAS (née au Caire en 1946, elle vit à Montréal depuis 1966) a chanté son enfance égyptienne dans ses deux premiers livres publiés au Caire en 1985 : *Les Chants du Karawane* et *Nicolas le fils du Nil*.

Dans son troisième recueil, *Quarante voiles pour un exil* qu'elle a fait paraître à Montréal en 1986 dans une collection dirigée par Anne-Marie Alonzo, les souvenirs deviennent des signes, l'écriture dessine le Temps dans la mémoire des objets et des gestes, le poème devient le rêve. Du passé au présent, de la Nubie ancestrale au Montréal actuel, le chant se forme dans la langue retrouvée du poème comme une voile à porter le temps.

Cette poésie regorge d'images et de sensualité, évocatrice de la nature et des grands tableaux fantasmatiques qui flottent dans la mémoire heureuse, dans la tradition de la palabre d'Orient en forme de spirale.

Des proses dessinent la trame d'un journal des jours où se justifie la démarche poétique :

*Depuis quarante siècles ou quarante instants un être s'est arrêté sur le fleuve-souvenir pour conjurer la mort.*
*Il m'a fallu quarante escales et quarante patiences pour entailler décrypter et transcrire l'œuvre de Nour.*
*Au fil de mes trouvailles.*
*Dans un langage accessible à ce temps sur cette terre.*
*Quarante nuits blanches.*

*Voile après voile sans indécence.*
*Je le jure.*
*Mais comme une aimée déshabille l'aimé.*
*Comme on retire la gaze sur une plaie séchée.*
*J'ai capté la couleur.*
*La forme quelquefois et surtout la musique.*
*Dans l'ordre où je les ai reçues d'une halte à l'autre de ma propre vie.*
*Renversez-les si ça vous plaît.*
*Interprétez.*
*Changez les titres.*
*Votre parole vaut la mienne.*
*Les morts ne reviennent pas nous torturer.*

Puis, fidèles à la tradition orientale, des poèmes naissent d'un langage de lumière, comme des fables continues de la vie. Ainsi, « Nui j dans la nuit sèche » :

*Au fil du soleil les larmes se dessèchent*
*les cœurs se tendent comme la peau des tam-tam*
*Vous pouvez à présent venir battre des mains sur la peau de mon cœur*
*Mes larmes ont séché sur le fil du soleil.*

L'incantation caractérise les proses et les vers de NADINE LTAIF (née au Liban, elle s'est exilée au Caire en 1975 et vit à Montréal depuis 1980) dans *Les Métamorphoses d'Ishtar*. Ce livre veut exorciser la misère et la douleur vécues à Beyrouth, cette ville magnifique du Moyen-Orient détruite par la guerre.

Nadine Ltaif prend le masque d'Ishtar, déesse du Ciel et protectrice de la ville, pour raconter, à la manière de Shéhérazade, les légendes et les mythes qui hantent sa mémoire. On y entend alors une longue plainte où règne la mort, où ne se raconte « rien d'autre que la misère » :

*Je fuyais vers toi*
*ô Montréal*
*l'Hiver.*
*L'Hiver ne m'épargnait pas non plus*
*alors j'ai vu*
*comment circule le sang dans une terre glacée*
*car le feu ne s'éteint pas.*
*mais l'acier moule son corps*
*— l'acier ne fond pas.*
*L'Hiver — Âge de fer — ressemble à la dureté*
*de la ville*
*et j'observe la lune*
*et la lune parfois*
*est méchante avec vous.*

Après des prosaïsmes explicatifs, « Ishtar » se met en quête « pour retrouver des bouts de (sa) mémoire passée, car elle était mutilée ou détruite par les bombes, ou bien encore en ruine ». Nadine Ltaif raconte alors les blessures du souvenir et de l'oubli, de l'appartenance et de l'exil, de la haine et de l'amour :

*ô demeure oiseau,*
*ma paonne hospitalière.*
*Être arrivée dans cette ville*
*où passe l'Ouragan.*
*Traverser l'hiver et l'exil,*
*c'est avoir vu la guerre de face.*
*Viens. Je t'accueille sur le bord de l'autre côté*
*où coule le Fleuve,*
*et coule encore.*
*Je te protégerai du Fils d'Adam le Malin.*

De ce même Liban nous arrive une autre voix nouvelle :

*Aux confins de nos angoisses*
*dépouillées notre citadelle de papier*

*notre seul bien déridé*
*— cette grande folie d'aimer*
*malgré la haine des murs*
*malgré les ronces humaines*
*et les aurores qui jappent après nos lunes.*

Cette voix, qui descend en droite ligne de Georges Shéhadé, est celle de BERNARD ANTOUN (né en 1961, il vit à Montréal depuis 1978) dans *Fêlures d'un Temps 1*.

Le jeune poète d'origine libanaise s'invente un chant souverain, fluide, où baignent les beautés du monde. Chez lui, la poésie nomme ces « fêlures d'un temps » contre le mal et l'amertume, contre la violence et la mort. Ses poèmes interrogent la condition humaine à même « la voix de la terre » et la « voix des siècles qui traverse la chair ». On y lit une maîtrise peu commune du langage. Ici, l'exilé porte en lui son enfance comme un héritage :

*Ma parole fait son bruit à travers les vagues*
*Ne dites pas mouton noir ce fils*
*qui délaisse son ombre et lapide nos cloisons*
*— Aussi longtemps qu'un souffle anime les coffres*
*et fait murmurer les mouettes de l'horizon*
*votre voix dans les tempes cisaillera mon repos*

*Votre semence en moi est une promesse*
*un matin dans nos bois que je porte*
*et défends contre la rouille des saisons*

*Je vous aime comme ces barques aiment l'eau*

PAUL ZUMTHOR (d'origine suisse, élevé à Paris, il s'est fixé en 1972 à Montréal) nous parle d'un autre horizon. Ce médiéviste réputé, qui s'est fait aussi romancier dans *La Fête des Fous* (1987) et de façon aussi spectaculaire que Umberto Eco dans *Le Nom de la rose*, est un voyageur du langage, dans les mondes anciens, dans les mots d'aujourd'hui. Sa quête de la parole a conduit ses recherches scientifiques. Elle se poursuit d'une autre manière dans sa poésie personnelle.

Car Paul Zumthor, professeur à la retraite, a publié deux recueils qui réunissent des pièces écrites entre 1980 et 1986 : *Midi le juste* et *Stèles* suivi de *Avents*.

Dans *Midi le juste*, les lumières d'Afrique puis d'Asie embrasent le langage du poète qui tente de capter en français l'énergie condensée de poésies extrême-orientales :

*Mots tentes nomades plantées tout*
*au long d'une vie*
*rassemblés campement d'un soir*
*image à l'éveil défaite puis*
*lourdement chargés sur l'âme*
*ombrageuse*
*une fois encore pour le nouveau jour.*

Le poète ne cessera d'interroger le monde des langages, tout le long des suites, pourtant fort différentes l'une de l'autre, de son deuxième recueil. Ces *Stèles* qui se dressent dans le sable mouvant du temps nous font voir un homme obsédé par les noms gravés sur les pierres, par la serrure fracturée « pour ouvrir la porte des mots ». Puis, les *Avents* se déploient dans la mémoire de vivre juqu'à l'inquiétude métaphysique. Zumthor délaisse la voix haletante des premiers poèmes pour l'ampleur d'une prose qui s'est initiée à « la fête des fous » et qui traverse les mondes, recrée des espaces à la manière des grands découvreurs. Ainsi parlera la voix de Colomb :

*Peuple dépossédé de lui-même*
*Masque de mort le front tatoué du cercle natal impact de la flèche à venir*
*Yeux voilés d'un caillou blanc enchâssé dans la pierre verte*
*Plus aucune parole*
*Empire de pierres de forêts de fleuves dont nous emporterons en mourant les noms*
*Nous n'aurons rien écrit. Rien que, avec d'autres signes, écrit l'amour sur le corps de nos femmes*
*Ayant traversé le monde sans autre trace que notre attente.*
*Terre sans origine et sans issue où râle la rumeur des convulsions primordiales le tumulte de la nuit antérieure : notre âme*
*À qui léguer notre âme quand tout aura pris fin ?*

Concluons ce chapitre sur l'apport des poètes néo-québécois en considérant le travail de deux écrivains d'origine italienne, Fulvio Caccia (né à Florence en 1952, il arrive au Québec en 1959) et Antonio D'Alfonso (né à Montréal en 1953, mais éduqué en milieu anglophone). Ces deux intellectuels ont adopté la culture québécoise par des chemins pourtant bien différents.

En arrivant à Montréal, les parents de FULVIO CACCIA ont réussi à inscrire leur fils dans une école de langue française. Ce dernier s'identifiera à la volonté d'affirmation nationale qui traversera la société québécoise des années soixante-dix. Aujourd'hui, Caccia coanime avec Lamberto Tassinari la revue « transculturelle » *Vice-Versa*. Il a aussi publié deux recueils de poésie où il refait le voyage aux origines de sa sensibilité.

« Je suis de culture québécoise et de sensibilité italienne », explique Fulvio Caccia. À travers sa poésie, il cherchera à faire passer cette sensibilité italienne dans la langue française. Dans *Irpinia* (1983), c'est le mythe du Nord que tente de s'approprier un Italien du Sud. Le poète a voyagé du port de Naples jusqu'au « labyrinthe phosphorescent » de Montréal et témoigne de sa métamorphose. Il habite de nouvelles saisons, de nouveaux lieux. Il est habité par cette « Vue du mont » :

*Odeurs déliées*
*Montréal là-bas*
*est une tapisserie*
*de rumeurs*
*La terre en haleine*
*travaille l'horizon*
*bruissant de senteurs*
*et du chant griffu*
*des sirènes.*

Puis, dans *Scirocco* (1985), le poète québécois veut se réapproprier une Italie mythique, celle qu'il porte en lui, mélange de souvenirs, d'impressions et d'images concrètes. « Cette Italie devient une métaphore de mon cheminement, explique Caccia. Sans tomber dans l'exotisme ou le formalisme parnassien, le poète cherche à transmettre sa sensibilité à la manière des grands poètes italiens : à travers le tableau d'un petit paysage, une émotion ou une sensation surgit de l'agencement des couleurs et de la façon dont la lumière tombe. » Le poète refait alors son rêve à travers ce qu'il appelle « le voyage blanc » :

*L'effeuillement de la neige dans les rues*
*que tu traverses dans tous tes états*
*en marge de la fêlure*
*où mes yeux boivent*
*par lampées*
*je t'ai reconnue*

*parmi tes ombres*
*offerte aux dieux*

*Ta chevelure*
*ta peau sombre*

*Tout le poids de l'hiver*
*dans le chaos*
*où s'enfoncent tes pas.*

Pour ANTONIO D'ALFONSO, l'Italie est aussi une image mythique et ce n'est ni le pays de son père ni le folklore qu'il cherche au cours de ses voyages.

Éduqué en milieu anglophone à Montréal, où son père était venu rejoindre un frère devenu francophone, D'Alfonso s'est vite attaché à la culture québécoise de langue française. Il étudie en anglais, mais vit en français. Il se met à écrire d'abord en anglais, « par hargne », dit-il, puis, au cours d'un voyage en France, il découvre ce qu'il appelle « le Québec à l'état pur » et se met à écrire en français.

Amoureux de la jeune tradition culturelle et littéraire du Québec, D'Alfonso fonde ses éditions Guernica où il propose au Canada anglais des traductions de poètes québécois. Pour lui, le Québec incarne la force moderne, par rapport à la France et à l'Italie qui représentent les formes classiques de la la culture.

Après avoir publié sa poésie en anglais, D'Alfonso la fait paraître en version française sous le titre *L'Autre Rivage* (1987). « C'est un livre qui pourrait tout aussi bien s'appeler *L'Homme seul* ou encore *L'Éternel Pèlerin* », a justement fait remarquer Philippe Haeck dans sa présentation du recueil.

L'ouvrage réunit des suites de proses toujours vibrantes qui participent parfois de la poésie et parfois du cahier de notes. L'auteur définit d'ailleurs très bien son essai comme étant celui d'un « livre de vers brisés, de pensées brisées, à propos de sentiments brisés. (...) Un cahier sans début ni fin, rien qu'un courant menant à l'être, au devenir... »

*L'Autre Rivage* reste un livre d'une grande intensité, où l'émotion affleure à chaque page, où la pensée cherche ses balises de l'autre côté des frontières du quotidien. Antonio D'Alfonso a réussi là un récit exceptionnel de son apprentissage émotif, affectif, intellectuel et culturel. Il fait son « portrait d'un Italien », comme il le dit, et il retrace l'itinéraire de « l'homme seul » à travers l'enfance, l'intelligence de la vie, la passion d'aimer et de savoir qui il est.

« Comment le langage a-t-il modifié ma façon de vivre ? », se demande aussi le poète qui décrit avec humour son parcours dans « Babel » :

*Nativo di Montréal*
*élevé comme Québecois*
*forced to learn the tongue of power*
*vivi en Mexico como alternativa*
*figlio del sole e della campagna*
*par les francs-parleurs aimé*
*finding thousands like me suffering*
*me casé y divorcié en tierra fria*
*nipote di Guglionesi*
*parlant politique malgré moi*
*steeled in the school of Old Aquinas*
*queriendo luchar con mis amigos latinos*
*Dio where shall I be demain*
*(trop vif) que puedo saber yo*
*spero che la terra be mine.*

Cette poésie d'un pèlerin des langues finira par atteindre vraiment à « l'érotisme des mots ». L'écriture d'Antonio D'Alfonso réussit à faire le pont entre l'émotion et la pensée. Ses récits retrouvent le sens du sacré où la vie se joue dès l'enfance. Comme dans le poème intitulé « Les conseils de ma mère » et qui se termine ainsi :

> *Même le plaisir ne doit jamais se ressembler: chaque fin nous conduit vers des chemins inexplorés. Un baiser n'est jamais, la première nuit, pleinement savouré ; pas plus que le baiser donné à la blancheur du papier par une plume. Il faut plusieurs baisers avant de connaître un moment d'extase, une extase temporaire. La facilité n'est pas promesse de succès. Le vin sur mes lèvres a goût de sueur.*

En somme, Antonio D'Alfonso, par son parcours exemplaire et le livre d'émotions qu'il nous en donne, nous apprend à vivre et à continuer de nous poser la question de l'identité :

> *Les miens sont plus nombreux à Montréal qu'à Guglionesi. Ça fait mal. Il ne reste que peu de chose à Guglionesi. Et le peu qu'il y reste va bientôt disparaître si on n'y retourne pas. Y retourner ? Il n'y a plus de retour. Il n'y a qu'un revenir à soi, un aller vers. Pas de linéarité de l'expérience ou de l'identité. Qu'une conscience. Plus je regarde devant moi, plus je regarde en moi. Ceci, ma géographie.*

**Suggestions de lecture**

*Les années 1980 et le retour au lyrisme*


BEAULIEU, Michel, *Kaléidoscope ou les aléas du corps grave.* Saint-Lambert, Noroît, 1985.

WARREN, Louise, *L'Amant gris.* Triptyque, 1984.

LECLERC, Michel, *Écrire ou la disparition*. Montréal, l'Hexagone, 1984.

VILLEMAIRE, Yolande, *Quartz et Mica*. Trois-Rivières, Écrits des Forges et Paris, Castor Astral, 1985.

CHARRON, François, *La vie n'a pas de sens*. Montréal, Les Herbes Rouges, n° 134, 1985.

ROY, André, *C'est encore le solitaire qui parle*. Montréal, Les Herbes Rouges, n° 144, 1986.

MORENCY, Pierre, *Effets personnels* suivi de *Douze jours dans une nuit*. Montréal, l'Hexagone, 1987.

OUELLETTE, Fernand, *Les Heures*. Montréal, l'Hexagone, « Typo », 1988.

PICHÉ, Alphonse, *Dernier profil*. Trois-Rivières, Écrits des Forges, 1982.

GARNEAU, Michel, *Poésies complètes 1955-1987*. Montréal, Guérin Littérature et Lauzanne, L'Âge d'homme, 1988.

CORBEIL, Marie-Claire, *Inlandsis*. Montréal, Guernica, 1987.

SAVARD, Michel, *Le Sourire des chefs*. Saint-Lambert, Noroît, 1988.

D'ALFONSO, Antonio, *L'Autre Rivage*. Montréal, VLB, 1987.

## Présence de la poésie

De nos jours, on voit la poésie partout, sauf dans le poème ! On trouve de la poésie dans une bouteille de Pepsi, comme le suggère la publicité, dans un spectacle de variétés, dans un match de hockey, dans tout ce qui se consomme en silence devant un écran de télévision ou de cinéma.

La poésie des poètes n'est plus qu'un vague souvenir d'adolescence. Les autres langages se sont imposés. Dans la vie quotidienne, les mass-média se chargent de nos âmes. Le *nec plus ultra* de la pensée, c'est d'être « branché ».

La poésie, c'est ce que l'opinion publique va qualifier de surréaliste, farfelu ou *songé*. La poésie, c'est ce qui nous sort du quotidien sans nous déranger. Ce qu'on appelle *poétique* est ce qui semble charmant, étonnant, amusant.

Le poème ? Connais pas ! Le poète ? Un rêveur égaré dans un monde revenu de la lune ! La poésie québécoise ? Une littérature triste, misérabiliste et *joualeresque*, dépassée dans son nationalisme romantique ! Une parole inutile dans un univers planétaire ! Un langage hermétique et savant à l'usage exclusif des intellectuels !

On pourrait allonger encore la liste des préjugés

qui alimentent la désaffection du public envers la poésie écrite. On serait tenté d'en accuser les professeurs, les parents, la télévision, les libraires, les éditeurs, les poètes eux-mêmes.

Pourtant, à mesure que le public paraît se rétrécir, le nombre des poètes augmente et les recueils de poèmes se publient à un rythme effarant. Qu'en est-il ?

En fait, le public de la poésie s'est multiplié proportionnellement au nombre de poètes, qui a décuplé au Québec depuis les années soixante. Plusieurs maisons d'édition de poésie sont apparues dans les années soixante-dix et quatre-vingt : les Écrits des Forges, le Noroît, Guernica, Trois, auxquelles il faut ajouter les éditions du Silence de Pierre Filion qui, fidèles à l'artisanat de l'imprimerie et à la tradition du livre d'artiste, prennent la succession des éditions Erta de Roland Giguère. D'autre part, les collections de poésie de l'Hexagone, de Fides et de Leméac ont pris récemment un nouvel élan. Il se publie au moins une centaine de recueils de poèmes chaque année, au Québec. La poésie a son public. Beaucoup de jeunes s'intéressent à cette forme d'expression. J'en rencontre régulièrement et dans tous les milieux sociaux. Au moment où certains prétendent que la poésie se meurt, le genre prolifère.

Certes, la poésie reste toujours en marge de la littérature de masse. On ne parle pas beaucoup des poètes au téléjournal, sauf quand ils meurent. Mais l'édition semble bien se porter, sinon dans les mass-média du moins à travers quelques revues et maisons d'édition, non seulement parce qu'elle est subventionnée comme le reste de la littérature aux prises avec un trop petit marché, mais aussi parce qu'un public réel s'y intéresse.

Bernard Pozier et
Louise Blouin,
*Écrits des Forges*

Célyne Fortin et
René Bonenfant,
*Éditions du Noroît*

François Hébert (en haut)
et Marcel Hébert,
*Les Herbes Rouges*

Alain Horic,
*Éditions de l'Hexagone*

* * *

L'histoire d'une poésie, c'est aussi l'histoire de la société qui l'a fait naître et des individus qui la portent. La société change ; la poésie, pour conserver sa place au langage, doit sans cesse évoluer.

Depuis 1960, le Québec est passé de l'âge catholique à l'ère œcuménique, de l'âge artisanal à l'ère industrielle, d'un patriotisme de paroisse à un nationalisme culturel puis économique. De même, sur le plan de l'expression, le Québec est passé de « l'âge de la parole » à l'âge des langages, c'est-à-dire de l'enfance de l'art à sa maturité et à la diversité de ses voix.

Cette société n'est donc plus homogène. Désormais, parmi les six millions de Québécois, plus de 600 000 ne sont pas nés au Québec et se répartissent en une centaine de communautés ethniques. On prévoit que la très francophone Commission des écoles catholiques de Montréal (CECM) sera bientôt fréquentée par vingt pour cent d'élèves allophones. La situation évolue rapidement. Déjà, dans une école primaire de l'ouest de Montréal, on parle plus de quarante langues !

Le Québec est en train de se transformer et sa langue d'expression restera le français dans la mesure où la volonté politique voudra solutionner en ce sens l'équation dénatalité-immigration. Le problème reste politique.

Dans une telle situation d'urgence où la langue d'expression sera en danger, la présence des poètes sera de plus en plus requise. C'est-à-dire que la poésie témoigne de la vitalité d'une langue et d'une culture.

D'autre part, la société québécoise, rempart de la *résistance* du français en pleine Amérique du Nord anglophone doit assumer sa transformation en osmose avec les nouvelles cultures ambiantes, en même temps qu'elle doit préserver son identité propre et sa langue d'expression.

On peut remarquer que l'ouverture au monde de la nouvelle société québécoise se reconnaît aussi à travers l'appareil éditorial. Certains de nos éditeurs se mettent à publier des poètes de France et de Belgique, espérant un échange : James Sacré et Werner Lambersy au Noroît ; Guillevic, Franck Venaille, Patrice Delbourg et André Laude aux Écrits des Forges. D'autres éditeurs s'empressent d'accueillir des poètes néo-québécois : les Haïtiens Davertige, Roland Morrisseau et Gérard Étienne à Nouvelle Optique, ainsi que Robert Berrouët-Oriol, Joël Des Rosiers et Anthony Phelps chez Triptyque ; l'Ukrainienne Françoise Jakimow et la Juive Shumalis Yelin en traduction chez Fides. La communauté grecque participe, elle aussi, de la culture française majoritaire du Québec : Iris Canea traduit son premier livre, *Lettre ouverte*, du grec au français ; Stephanos Constantinides publie son recueil *Anthumes* en édition bilingue à Montréal. Enfin, la communauté italienne a fait paraître une anthologie bilingue : *La poesia italiana vel Quebec / La Poésie italienne au Québec*.

Voyons ces événements comme des signes de la transformation d'une culture québécoise dont l'identité ne cesse de s'agrandir et de s'approfondir — espérons-le.

* * *

L'histoire littéraire, elle aussi, est faite de ruptures et de continuités. Ainsi les poètes eux-mêmes se chargent de transformer la poésie. Quand le langage poétique en arrive à se tisser des lieux communs, quand l'académisme l'étouffe et qu'une chorale de poètes entonne le même refrain, il est temps de creuser le langage sur d'autres versants moins faciles.

Au Québec, les nouveaux poètes des années soixante-dix ont jugé que la poésie d'identité collective avait atteint son but et se sont mis à revendiquer l'écriture d'une poésie personnelle. Ils ont délaissé l'idée du « texte national » pour celle du texte lui-même. Sur les traces des littérateurs français et américains, ils ont pratiqué les théories du structuralisme, de la linguistique et de la psychanalyse. Ainsi la poésie québécoise contemporaine a-t-elle conquis le terrain de son langage. Inévitablement, les poètes des années soixante-dix ont perdu de vue leur public lecteur. Cette situation s'est corrigée d'elle-même dans les années quatre-vingt, non sans s'être cependant empêtrée dans certaines ambiguïtés.

Les poètes de la « nouvelle écriture » ont voulu nous faire croire un moment à la fin des « genres » littéraires et à la « mort » de la poésie lyrique. On a annoncé l'apparition du « texte », comme synthèse de la prose et de la poésie, de la pensée et de l'émotion, du silence et de l'écriture. C'était une façon de provoquer la rupture d'avec « l'âge de la parole ». Mais ces poètes ont retrouvé d'eux-mêmes une certaine continuité avec la poésie quand ils ont présenté leurs « textes » à des concours de... poésie.

Au-delà de la caricature, disons que la pratique du texte tel qu'il a été théorisé à la *Nouvelle Barre du Jour* a fini par distinguer les tenants du récit, des essayistes, des laborantins et des poètes.

De plus, l'entrée en masse des femmes en littérature a fait bouger les formalismes et introduit une écriture personnelle, une poésie de l'intime. Avec les femmes, un nouveau « sujet » est apparu en poésie. Les poètes des années quatre-vingt se sont pris eux-mêmes pour sujets de leur poésie. Le lyrisme s'était renouvelé.

* * *

Affirmer la poésie, c'est lui rester fidèle sans l'asservir aux idéologies courantes, c'est rester disponible à tous ses visages et à toutes ses voix. On peut se définir du côté du poétique, mais on n'en pense pas moins ! C'est-à-dire que le poème contient son idée autant que son émotion. La poésie est un art complet. Le poème participe d'un langage qui va contre tous les autres langages y compris ceux des discours exclusivement politiques et savants.

La vitalité de la poésie est assurée quand elle s'inquiète d'elle-même, quand les poètes, attentifs aux changements du monde, savent la transformer, cette poésie qui nous emporte et nous retient dans ce qui nous échappe.

Quand on ne désespère pas du monde ni de la poésie, on affirme le poétique et non le politique comme tel, en littérature. Il ne s'agit donc pas de nier la poésie mais de croire à sa transformation continuelle. C'est ainsi qu'on peut accueillir toutes les poésies, celles qui font bouger les formes comme celles qui font chanter les corps. En poésie, toutes les voix sont possibles. Pourquoi le nier ?

L'histoire nous apprend que les genres littéraires évoluent et se colorent selon les époques. C'est le travail des écrivains de les porter à leur maximum, puis de les contester et de les renouveler quand il y a saturation de langage. Et c'est faire confiance aux littératures du monde, y compris la nôtre, que de cultiver le sens de l'histoire. C'est-à-dire qu'il ne suffit pas de nier pour inventer. En d'autres mots, la « textualisation » n'empêchera pas le poétique de rester au cœur du langage. Et la poésie n'empêchera pas la « textualisation » de se trouver un contenu.

Par ailleurs, il importe de ne pas confondre ce qui est littérature et ce qui est théorisation. Depuis quelques années, un malentendu a recouvert nos débats littéraires, à savoir que la théorie précéderait la fiction. Or, bien au contraire, c'est de la fiction que se dégage une théorie. Cette distinction étant faite, il devient peut-être plus facile pour tout le monde de voir où se situe ce qu'on nomme le poème, où se situe ce qu'on appelle le « texte ».

Les querelles littéraires sont utiles, à condition de tenir compte de l'histoire. Par exemple, on ne peut pas se vanter durant vingt ans de se tenir à l'avant-garde si l'on se vante en même temps de méconnaître sa propre histoire et même de la nier en voulant ignorer ses devanciers. Si l'on veut apporter du nouveau, il faut au moins avoir saisi l'évolution littéraire de son temps.

C'est ce que nous rappelle un poème qu'écrivait Gaston Miron en 1984 :

*la poésie a changé*
*adieu métaphores dont j'ai fait le tour*
*du fond des mots de nouveaux poètes me parlent*
*les narratifs du monde enchevêtré*
*dans ce qui n'avance qu'avec peine, l'homme*

* * *

La poésie, ne l'oublions pas, est affaire de langage. Elle est une aventure humaine. Elle existera tant que l'humain vivra. Elle s'écrit — se dit ou se lit — pour communiquer des sentiments et des sensations qui appartiennent à chacun de nous. « Les poèmes appartiennent à ceux qui les aiment », a justement dit Roland Giguère. La poésie est un partage du réel, ce qu'il nous reste pour imaginer le monde et mesurer notre destin.

Oui, le poème est encore *utile*. Il vit dans et par le langage. Oui, le poète est toujours présent. Il écrit pour ceux et celles qui veulent tirer du langage leur part d'éternité.

Le poète fait monter ce chant qui nous habite tous, ce chant qui dit — en écho de ce monde — que la vie est là. Vivre en toute connaissance de cause, dans la vérité de la sensation : voilà le pari du poète. Il régénère le langage qui est au cœur de notre être. Danc ce langage, il y a la pensée, plus ou moins floue selon qu'on la travaille ou non, mais aussi l'imagination et l'amour. Le poète est à la pointe aiguë de notre conscience et de nos émotions.

Si la poésie est une manière de vivre, elle reste aussi une façon d'écrire son être-au-monde. Le poème est un acte de conscience qui interroge la vie à même son langage. Le poète écrit selon des sources et des structures qui lui appartiennent ainsi qu'à son époque. La poésie est un art et non pas une religion. C'est-à-dire que si la poésie précède la théorie, elle n'exclut pourtant pas la réflexion, qui chemine du laboratoire jusqu'au chant.

Même laissée en marge de nos vies, la poésie nous atteindra finalement à travers les langages. Le poème fait des vagues jusqu'à l'oreille la plus distraite. Si petit, si loin qu'il soit, il avive notre conscience. Il nous concerne au plus intime de soi et à jamais. Le poème est ce qui récite notre être et notre appartenance au monde.

# ORIENTATIONS BIBLIOGRAPHIQUES

## I Anthologies, recueils collectifs [1]

HUSTON, James, *Le Répertoire national,1848-1850*, 4 vol. édité par Robert Mélançon. VLB, 1982.

LEBLANC, Léopold, *Écrits de la Nouvelle-France, 1534-1760*. La Presse, « Anthologie de la littérature québécoise », I, 1978.

DIONNE, René, *La Patrie littéraire, 1760-1895*. La Presse, « Anthologie de la littérature québécoise », II, 1978.

MARCOTTE, Gilles, et François Hébert, *Vaisseau d'or et croix du chemin, 1895-1935*. La Presse, « Anthologie de la littérature québécoise », III, 1979.

DIONNE, René et Gabrielle POULIN, *L'Âge de l'interrogation, 1937-1952*. La Presse, « Anthologie de la littérature québécoise », IV, 1980.

HARE, John, *Anthologie de la poésie québécoise du XIX^e^ siècle (1790-1890)*. Hurtubise HMH, « Cahiers du Québec », 1979.

« Poésie 1980 ». *La Nouvelle Barre du Jour*, 92-93, juin 1980. Recueil collectif présenté par Michel Beaulieu.

« Poésie 1981 ». *La Nouvelle Barre du Jour*, 100-101, mars 1981.

1. Sauf indication, le lieu d'édition est Montréal.

« Écritures 1983 ». *La Nouvelle Barre du Jour*, 122-123, février 1983.

« Poésie 1984 ». *Estuaire*, 32-33, automne 1984. Recueil collectif présenté par Anne-Marie Alonzo, Gérald Gaudet et Jean Royer.

CACCIA, Fulvio et Antonio D'ALFONSO, *Quêtes. Textes d'auteurs italo-québécois*. Guernica, 1984.

« La séduction du romanesque ». *Estuaire*, 37, novembre 1985. Recueil collectif présenté par Gérald Gaudet.

MAILHOT, Laurent, Pierre NEPVEU, *La Poésie québécoise des origines à nos jours*. L'Hexagone, « Typo », 1986.

TEMPLE, F.-J., *Québec vivant*. Marseille, Sud, « Domaine étranger », 1986.

ROY, André, *Poésie québécoise*. Paris, *Vagabondages*, 66, février / mars 1987.

*Poètes québécois contemporains*. Trois-Rivières, Écrits des Forges et Québec, cégep de Sainte-Foy (complété par un vidéo des poètes présentés), 1987.

LORTIE, Jeanne-d'Arc, avec la collaboration de Pierre Savard et Paul Wyczynski, *Les Textes poétiques du Canada français 1606-1867 : vol I, 1606-1806, Édition intégrale*. Fides, 1987 (collection projetée de douze volumes).

ROYER, Jean, *Le Québec en poésie*. Paris, Gallimard et Montréal, Lacombe, « Folio junior », 1987.

ROYER, Jean, *La Poésie québécoise contemporaine*. Paris, La Découverte et Montréal, L'Hexagone, « Anthologies », 1987.

## *II Études, essais*

### *A) Ouvrages généraux*

MARCOTTE, Gilles, *Le Temps des poètes*. Hurtubise HMH, 1969.

MAILHOT, Laurent, *La Littérature québécoise*. Paris, Presses universitaires de France, « Que sais-je? », 1579, 1974.

BLAIS, Jacques, *De l'Ordre et de l'Aventure, La Poésie au Québec de 1934 à 1944*. Québec, Presses de l'université Laval, « Vie des lettres québécoises », 1975.

LORTIE, Jeanne-d'Arc, *La Poésie nationaliste au Canada français (1606-1867)*, Québec, Presses de l'université Laval, « Vie des lettres québécoises », 1975.

ROYER, Jean, *Pays intimes. Entretiens 1966-1976*. Leméac, 1976 (Entretiens avec plusieurs poètes).

LEMIRE, Maurice, dir., *Dictionnaire des œuvres littéraires du Québec*. Fides, tome I. *Des origines à 1900*, 1978 ; *II. 1900 à 1939*, 1980 ; *III. 1940 à 1959*, 1982 ; *IV. 1960-1969*, 1984 ; *V. 1970-1975*, 1987.

HAECK, Philippe, *Naissance. De l'écriture québécoise*. VLB, 1979.

ROYER, Jean, *Écrivains contemporains*. L'Hexagone, *Entretiens 1*, 1982 ; *Entretiens 2*, 1983 ; *Entretiens 3*, 1985 ; *Entretiens 4*, 1987 ; *Entretiens 5*, 1989 (Entretiens avec plusieurs poètes).

GAUDET, Gérald, *Les Écrits des Forges, une poésie en devenirs*. Trois-Rivières, Écrits des Forges, 1983.

BEAUSOLEIL, Claude, *Les livres parlent*. Trois-Rivières, Écrits des Forges, 1984.

HAECK, Philippe, *La Table d'écriture. Poétique et modernité*. VLB, 1984.

DIONNE, René, dir., *Le Québécois et sa littérature*. Paris, Agence de coopération culturelle et technique et Sherbrooke, Naaman, 1984.

En collaboration, *À l'ombre de Desrochers, le Mouvement littéraire des Cantons de l'est 1925-1950*. Sherbrooke, La Tribune/Les Éditions de l'Université de Sherbrooke, 1985.

GAUDET, Gérald, *Voix d'écrivains*. Québec/Amérique, 1985 (Entretiens avec plusieurs poètes).

CACCIA, Fulvio, *Sous le signe du Phénix. Entretiens avec 15 créateurs italo-québécois*. Guernica 1985 (Entretiens avec quelques poètes).

BOURASSA, André-G., *Surréalisme et littérature québécoise*.

*Histoire d'une révolution culturelle.* L'Hexagone, « Typo », 1986.

En collaboration, *Le Nigog.* Fides, « Archives des lettres canadiennes », tome VII, Publication du Centre de recherche en civilisation canadienne-française de l'Université d'Ottawa, 1987.

*B) Essais particuliers*

BÉRIMONT, Luc, *Félix Leclerc.* Paris, Seghers et Montréal, Fides, « Poètes d'aujourd'hui », 1964.

KUSHNER, Éva, *Rina Lasnier.* Montréal et Paris, Fides, 1964.

PAGÉ, Pierre, *Anne Hébert.* Montréal et Paris, Fides, 1965.

KUSHNER, Éva, *Saint-Denys-Garneau.* Paris, Seghers, « Poètes d'aujourd'hui », 1967.

BRAULT, Jacques, *Alain Grandbois.* Paris, Seghers, « Poètes d'aujourd'hui », 1968.

ROBITAILLE, Aline, *Gilles Vigneault.* Leméac / L'Hexagone, 1968.

LACÔTE, René, *Anne Hébert.* Paris, Seghers, « Poètes d'aujourd'hui », 1969.

KUSHNER, Éva, *Rina Lasnier.* Paris Seghers, « Poètes d'aujourd'hui », 1969.

BLAIS, Jacques, *Présence d'Alain Grandbois.* Québec, Presses de l'Université Laval, 1974.

GAGNÉ, Marc, *Propos de Gilles Vigneault.* Nouvelles éditions de l'Arc, 1974.

CORRIVEAU, Hugues, *Gilles Hénault : lecture de Sémaphore.* Presses de l'Université de Montréal, « Lignes québécoises » 1978.

MAJOR, Jean-Louis, *Paul-Marie Lapointe : la nuit incendiée.* Presses de l'Université de Montréal, « Lignes québécoises », 1978.

SAINT-DENIS, Janou, *Claude Gauvreau le Cygne.* Presses de l'Université du Québec/ Noroît, 1978.

MARCHAND, Jacques, *Claude Gauvreau, poète et mythocrate.* VLB, 1979.

NEPVEU, Pierre, *Les Mots à l'écoute. Poésie et silence chez Fernand Ouellette, Gaston Miron et Paul-Marie Lapointe*. Québec, Presses de l'Université Laval, « Vie des lettres québécoises », 1979.

En collaboration, *Raoul Duguay ou: le poète à la voix d'O*. L'Aurore-Univers, 1979.

MICHON, Jacques, *Émile Nelligan. Les racines du rêve*. Presses de l'Université de Montréal/Éditions de l'Université de Sherbrooke, « Lignes québécoises », 1983.

FILTEAU, Claude, *L'homme rapaillé de Gaston Miron*. Paris, Bordas et Montréal, Trécarré, « Lecto guide », 1984.

SMITH, Donald, *Gilles Vigneault, conteur et poète*. Québec/Amérique, 1984.

BERTIN, Jacques, *Félix Leclerc. Le Roi Heureux*. Paris, Arléa, 1987.

MÉLANÇON, Robert, *Paul-Marie Lapointe*. Paris, Seghers, « Poètes d'aujourd'hui », 1987.

DES LANDES, Claude, *Michel Garneau, écrivain public*. Guérin littérature, « Carrefour », 1987.

LAHAISE, Robert, *Guy Delahaye et la modernité littéraire*. Hurtubise HMH, « Cahier du Québec », 1987.

POZIER, Bernard, *Gatien Lapointe, l'homme en marche*. Trois-Rivières, Écrits des Forges, Cesson-la-Forêt, La Table Rase et Fasano di Puglia, Schena, 1987.

WYCZYNSKI, Paul, *Nelligan 1879-1941. Biographie*. Fides, « Le Vaisseau d'or », 1987.

### *C) Les poètes et la poésie*

VAN SCHENDEL, Michel, Gilles Hénault, Jacques Brault, Wilfrid Lemoine et Yves Préfontaine, *La Poésie et nous*. L'Hexagone, « Les voix », 1958. Présentation de Jean-Guy Pilon.

ROBERT, Guy, *Poésie actuelle*. Librairie Déom, 1970. Vingt-six poètes témoignent des courants de la poésie québécoise des années 1950 et 1960.

OUELLETTE, Fernand, *Les Actes retrouvés*. Hurtubise HMH, 1970.

OUELLETTE, Fernand, *Depuis Novalis. Errance et gloses*. Hurtubise HMH, « Reconnaissances », 1973.

OUELLETTE, Fernand, *Journal dénoué*. PUM, 1974 ; Hexagone, « Typo », 1988.

BRAULT, Jacques, *Chemin faisant*. La Presse, 1975.

LAPOINTE, Paul-Marie, *Écriture / poésie / 1977 Fragments / illustrations. La Nouvelle Barre du Jour*, 59, octobre 1977.

OUELLETTE, Fernand, *Écrire en notre temps*. Hurtubise HMH, 1979.

BAYARD, Caroline et Jack David, *Avant-postes/Out-Posts*. Erin (Ontario), Presses Porcépic, 1978. Interviews et textes de huit « poètes contemporains » dont Nicole Brossard, Paul Chamberland et Raoul Duguay.

« La poésie, les poètes et les possibles ». *Possibles*, 3:2, hiver 1979. Une vingtaine de poètes répondent à la question : « Quels sont les possibles de la poésie dans le Québec d'aujourd'hui ? »

CHAMBERLAND, Paul, *Le Courage de la poésie / Fragments d'art total*. Les Herbes Rouges, 90-91, 1981.

ROYER, Jean, *Marie Uguay : La vie la poésie, Entretiens*. Éditions du Silence, 1982.

MIRON, Gaston, *Les Signes de l'identité*, [« Toute poésie est une histoire d'amour avec la langue... »], discours de réception du prix Athanase-David 1983, Éditions du Silence, 1983.

« L'Art poétique ». *Estuaire*, 40-41, septembre 1986. Près d'une quarantaine de poètes réfléchissent sur leur art. Présentation de Jean Royer.

*Choisir la poésie*. Trois-Rivières, Écrits des Forges, 1986. Une trentaine de poètes répondent à un questionnaire sur leur relation à la poésie. Présentation de Louise Blouin.

BEAUSOLEIL, Claude, *Extase et Déchirure*. Trois-Rivières, Écrits des Forges et Paris, La Table Rase, 1987.

« Question de poésie ». *Estuaire*, 47, hiver 1987-1988.

Communications d'un colloque à partir de la question : « Que peut la poésie dans le contexte actuel ? » Textes de Nicole Brossard, Pierre Nepveu, Claude Beausoleil, Louise Dupré, Antonio D'Alfonso, Hélène Dorion, Yves Boisvert ; présentation de Gérald Gaudet.

### *III Choix d'œuvres des poètes cités*

ACQUELIN, José, *Tout va rien.* L'Hexagone, 1987.

ALONZO, Anne-Marie, *Bleus de mine.* Saint-Lambert, Noroît, 1985.

AMYOT, Geneviève, *La mort était extravagante.* Saint-Lambert, Noroît, 1975.

AMYOT, Geneviève, *Dans la pitié des chairs.* Saint-Lambert, Noroît, 1982.

ANDRIESANU, MIRCEA, *Sous le signe de Dracula.* Fides, « Rencontre des cultures », 1985.

ANTOUN, Bernard, *Fêlures d'un Temps,* Louise Courteau éditrice, 1987.

BEAUCHEMIN, Nérée, *Nérée Beauchemin, son œuvre.* Presses de l'Université du Québec 1973-1974, 3 vol. Édition critique préparée par Armand Guilmette.

BEAULIEU, Maurice, *À glaise fendre.* Imprimerie Saint-Joseph, 1957.

BEAULIEU, Maurice, *Il fait clair de glaise.* Éditions d'Orphée, 1958.

BEAULIEU, Michel, *Desseins, poèmes 1961-1966.* L'Hexagone, « Rétrospectives », 1980.

BEAULIEU, Michel, *Variables.* Presses de l'Université de Montréal, 1973.

BEAULIEU, Michel, *L'Octobre* suivi de *Dérives.* L'Hexagone, 1977.

BEAULIEU, Michel, *Visages.* Saint-Lambert, Noroît, 1981.

BEAULIEU, Michel, *Kaléidoscope ou les aléas du corps grave.* Saint-Lambert, Noroît, 1985.

BEAUSOLEIL, Claude, *Au milieu du corps l'attraction s'insinue.* Saint-Lambert, Noroît, 1980.

BEAUSOLEIL, Claude, *Dans la matière rêvant comme d'une émeute*. Trois-Rivières, Écrits des Forges, 1982.

BEAUSOLEIL, Claude, *Une certaine fin de siècle*. Saint-Lambert, Noroît, 1983.

BEAUSOLEIL, Claude, *S'inscrit sous le ciel gris en graphiques de feu*. Trois-Rivières, Écrits des Forges, 1985.

BÉLANGER, Marcel, *Strates, poèmes 1960-1982*. Paris, Flammarion, 1985.

BERNIER, Jovette, *Les Masques déchirés*. Albert Lévesque, LACF, 1932.

BERSIANIK, Louky, *Kerameikos*. Saint-Lambert, Noroît, « Écritures/ratures », 1987.

BIBAUD, Michel, *Épîtres, Satires, Chansons, Épigrammes et autres pièces de vers*, imprimé par Ludger Duvernay à l'imprimerie de *La Minerve*. Réédition-Québec, 1969.

BOISVERT, Yves, *Chiffrage des offenses*. L'Hexagone, 1987.

BOISVERT, Yves, *Gardez tout*. Trois-Rivières, Écrits des Forges, 1987.

BOUCHER, Denise, *Retailles* (en collaboration avec Madeleine Gagnon). Étincelle, 1977 ; Hexagone, « Typo », 1988.

BOUCHER, Denise, *Cyprine*. L'Aurore, 1978.

BOULERICE, Jacques, *Apparence*. Paris, Belfond, 1986.

BRAULT, Jacques, *Poèmes 1. Mémoire. La poésie ce matin. L'En dessous l'admirable*. Saint-Lambert, Noroît et Paris, La Table Rase, 1986.

BRAULT, Jacques, *Trois fois passera* précédé de *Jour et nuit*. Saint-Lambert, Noroît, 1981.

BRAULT, Jacques, *Moments fragiles*. Saint-Lambert, Noroît, 1984.

BROSSARD, Nicole, *Le Centre blanc (poèmes 1965-1975)*. L'Hexagone, « Rétrospectives », 1978.

BROSSARD, Nicole, *Amantes*. Quinze, « Réelles », 1980.

BROSSARD, Nicole, *Double impression (poèmes et textes 1967-1984)*. L'Hexagone, « Rétrospectives », 1984.

BROSSARD, Nicole, *Domaine d'écriture*. NBJ. 1985.

BUJOLD, Françoise, *Piouke fille unique*. Parti Pris, 1982.

CACCIA, Fulvio, *Irpinia*. Triptyque, 1983.

CACCIA, Fulvio, *Scirocco*. Triptyque, 1985.

CAMPO, Mario, *Coma Laudanum*. L'Hexagone, « Collection H », 1979.

CARTIER, Jacques, *Relations*, Presses de l'Université de Montréal, « Bibliothèque du Nouveau Monde », 1986. Édition critique par Michel Bidaux.

CHABOT, Cécile, *Le choix de Cécile Chabot dans l'œuvre de Cécile Chabot*. Charlesbourg, Presses Laurentiennes, 1983.

CHAMBERLAND, Paul, *Terre-Québec* suivi de *L'Afficheur hurle*, de *L'Inavouable* et de *Autres poèmes*. L'Hexagone, « Typo », 1985.

CHAMBERLAND, Paul, *Éclats de la pierre noire d'où rejaillit ma vie*. Danielle Laliberté, 1972.

CHAMBERLAND, Paul, *Demain les dieux naîtront*. L'Hexagone, 1974. Calligraphie de l'auteur.

CHAMBERLAND, Paul, *Extrême survivance, extrême poésie*. Parti Pris, « Parole », 1978.

CHAMBERLAND, Paul, *Aléatoire instantané & Midsummer 82*. Trois-Rivières, Écrits des Forges , 1983.

CHAMBERLAND, Paul, *Compagnons chercheurs*. Longueuil, Le Préambule, 1984.

CHAPMAN, William, *William Chapman*. Fides, « Classiques canadiens », 1968. Présenté par Jean Ménard.

CHARBONNEAU, Hélène, *Opales*. Paris, Éditions de la France universelle, 1920 ; Montréal, G. Ducharme, 1924.

CHARBONNEAU, Jean, *Les Prédestinés. Poèmes de chez-nous*. Beauchemin, 1923.

CHARLEBOIS, Jean, *Présent !* Saint-Lambert, Noroît, 1984.

CHARRON, François, *Au « sujet » de la poésie*. L'Hexagone, 1972.

CHARRON, François, *Blessures*, Les Herbes Rouges, 67-68, 1978.

CHARRON, François, *Toute parole m'éblouira*. Les Herbes Rouges, 104-105, 1982.

CHARRON, François, *D'où viennent les tableaux ?* Les Herbes Rouges, 110-112, 1983.

CHARRON, François, *La vie n'a pas de sens.* Les Herbes Rouges, 134, 1985.

CHARRON, François, *Le fait de vivre ou d'avoir vécu.* Les Herbes Rouges, 1986.

CHARTIER DE LOTBINIERE, René-Louis, « Sur le voyage de Monsieur de Courcelles... », *Les Textes poétiques du Canada français Vol. 1 : 1606-1806.* Fides, 1987. Anthologie réunie et commentée par Jeanne-d'Arc Lortie.

CHOPIN, René, *Le Cœur en exil.* Paris, Georges Crès, 1913.

CHOQUETTE, Robert, *Oeuvres poétiques.* Fides, « Collection du Nénuphar », 1956, 2 vol.

CLOUTIER, Cécile, *L'Écouté, poèmes 1960-1983.* L'Hexagone, « Rétrospectives », 1986.

CLOUTIER, Guy, *Cette profondeur parfois.* L'Hexagone, 1981.

CLOUTIER, Guy, *L'Heure exacte.* Saint-Lambert, Noroît, 1984.

CONSTANTINEAU, Gilles, *Simples poèmes et ballades.* L'Hexagone, 1960.

CONSTANTINIDES, Stephanos, *Anthumes.* O Metikos-Le Métèque, 1984.

CORBEIL, Marie-Claire, *Inlandsis.* Guernica, 1987.

CORMIER, Jean-Marc, *Westernité.* Rimouski, Passages, 1981.

CRÉMAZIE, Octave, *Oeuvres 1. « Poésies ».* Éditions de l'Université d'Ottawa, 1972. Texte établi, annoté et présenté par Odette Condemine.

CYR, Gilles, *Sol inapparent.* L'Hexagone, 1978.

CYR, Gilles, *Diminution d'une pièce.* L'Hexagone, 1983.

D'ALFONSO, Antonio, *L'Autre Rivage.* VLB, 1987.

DANTIN, Louis, *Louis Dantin.* Fides, « Classiques canadiens », 1968.

DAOUST, Jean-Paul, *Portrait d'intérieur.* Trois-Rivières, APLM, 1981.

DAOUST, Jean-Paul, *Taxi*. Trois-Rivières, Écrits des Forges, 1984.

DAOUST, Jean-Paul, *Dimanche après-midi*. Trois-Rivières, Écrits des Forges, 1985.

DAVID, Carole, *Terroristes d'amour* suivi de *Journal d'une fiction*. VLB, 1986.

DE BELLEFEUILLE, Normand, (en collaboration avec Roger Des Roches), *Pourvu que ça ait mon nom*. Les Herbes Rouges, « Lecture en vélocipède », 1979.

DE BELLEFEUILLE, Normand, (en collaboration avec Louise Dupré), *Quand on a une langue on peut aller à Rome*. NBJ, 188, 1986.

DE BELLEFEUILLE, Normand, *Catégoriques un deux et trois*. Trois-Rivières, Écrits des Forges, 1986.

DE BUSSIÈRES, Arthur, *Arthur de Bussières, poète, et l'École littéraire de Montréal*, Présenté par Wilfrid Paquin. Fides, 1984.

DELAHAYE, Guy, *Mignonne, allons voir si la rose...* Déom, 1912.

DELAHAYE, Guy, *Oeuvres parues et inédites*, Présentation de Robert Lahaise. Hurtubise HMH, 1988.

DÉLANO, Barbara, *El rumor de la niebla/La rumeur de la brume*. Éditions d'Orphée, 1984.

DELISLE, Michael, *Les Changeurs de signe* suivi de *Mélancolie*. NBJ, 1987.

DELISLE, Michael, *Fontainebleau*. Les Herbes Rouges, 1987.

DÉRY, Francine, *En beau fusil*. Saint-Lambert, Noroît, 1978.

DÉRY, Francine, *Le Noyau*. Saint-Lambert, Noroît, 1984.

DESAUTELS, Denise, *La Promeneuse et l'Oiseau*. Saint-Lambert, Noroît, 1980.

DESAUTELS, Denise, *L'Écran*. Saint-Lambert, Noroît, 1983.

DESJARDINS, Henry, *Henry Desjardins, l'homme et l'œuvre*. Hull, Asticou, 1975. Par Suzanne Lafrenière.

DESJARDINS, Louise, *Les Verbes seuls*. Saint-Lambert, Noroît, 1985.

DES ROCHES, Roger, *Autour de Françoise Sagan indélébile*

*(poèmes et proses 1969-1971).* L'Aurore, « Lecture en vélocipède », 1975.

DES ROCHES, Roger, *« Tous, corps accessoires... » (poèmes et proses 1969-1973).* Les Herbes Rouges, « Enthousiasme », 1979.

DES ROCHES, Roger, (en collaboration avec Normand de Bellefeuille), *Pourvu que ça ait mon nom.* Les Herbes Rouges, « Lecture en vélocipède », 1979.

DES ROCHES, Roger, *Le soleil tourne autour de la terre.* Les Herbes Rouges, 1985.

DES ROCHES, Roger, *Tout est normal, tout est terminé.* Les Herbes Rouges, 160, 1987.

DESROCHERS, Alfred, *Oeuvres poétiques 1. L'Offrande aux vierges folles. À l'ombre de l'Orford. Le Retour de Titus. Élégies pour l'épouse en-allée.* Fides, « Collection du Nénuphar », 1977. Texte présenté et annoté par Romain Légaré.

DES RUISSEAUX, Pierre, *Storyboard.* L'Hexagone, 1986.

DORION, Hélène, *L'Intervalle prolongé* suivi de *La Chute requise.* Saint-Lambert, Noroît, 1983.

DORION, Hélène, *Hors champ.* Saint-Lambert, Noroît, 1985.

DORION, Hélène, *Les Retouches de l'intime.* Saint-Lambert, Noroît, 1987.

DREUX, Albert, *Le Mauvais Passant.* Roger Maillet, 1920.

DROUIN, Michèle, *La Duègne accroupie.* Éditions Quartz, 1959 ; Les Herbes Rouges, 60, 1978.

DUGAS, Marcel, *Psyché au cinéma.* Paradis-Vincent, 1916.

DUPUIS, Gilbert, *La Tête dans le crin.* Rimouski, Passages, 1981.

DUPRÉ, Louise (en collaboration avec Normand de Bellefeuille), *« Quand on a une langue on peut aller à Rome ».* NBJ, 188, 1986.

DUPRÉ, Louise, *Chambres.* Remue-Ménage, 1986.

ÉVANTUREL, Eudore, *Premières Poésies 1876-1878.* Leméac et Paris, Éditions d'aujourd'hui, « Introuvables québécois », 1979 ; *L'œuvre poétique d'Eudore Évanturel*, édition critique, texte établi et annoté par Guy Champagne. Presses de l'Université Laval, « Vie des lettres québécoises », 1988.

FAVREAU, Marc (Sol), *Je m'égalomane à moi-même*. Stanké, « Québec 10/10 », 1982.

FAVREAU, Marc (Sol), *L'Univers est dans la pomme*. Stanké, 1987.

FELX, Jocelyne, *Feuillets embryonnaires*. Trois-Rivières, Écrits des Forges, 1980.

FELX, Jocelyne, *Orpailleuse*. Saint-Lambert, Noroît, 1982.

FERLAND, Albert, *Montréal ma ville natale. De Ville-Marie à nos jours*. Jules Ferland, 1946.

FILION, Jean-Paul, *Du centre de l'eau*. L'Hexagone, « Les Matinaux », 1955.

FILION, Jean-Paul, *Demain les herbes rouges*. L'Hexagone, 1962.

FILION, Pierre, *Axes intérieurs*, avec trois dessins de Jacqueline Birade. Éditions du Silence, 1982.

FORTIN, Célyne, *Femme fragmentée*. Saint-Lambert, Noroît, 1982.

FRANCŒUR, Lucien, *Drive-in*. Paris, Seghers et Montréal, L'Hexagone, 1976.

FRANCŒUR, Lucien, *Les Néons las*. L'Hexagone, 1978.

FRÉCHETTE, Jean-Marc, *Le Corps de l'infini, poèmes 1968-1985*. Triptyque, 1986.

FRÉCHETTE, Louis, *Fréchette*. Fides, « Classiques canadiens », 1959, Présenté par Michel Dassonville.

FRENETTE, Christiane, *Indigo nuit*. Leméac, 1986.

GAGNON, Jean Chapdelaine, *Le tant-à-cœur*. Saint-Lambert, Noroît, 1986.

GAGNON, Madeleine, *Autographie 1. Fictions*. VLB, 1982.

GAGNON, Madeleine, *Les Fleurs du Catalpa*. VLB, 1986.

GARCIA, Juan, *Corps de gloire*. Presses de l'Université de Montréal, 1971.

GARNEAU, Jacques, *L'Embrassement ou les petits poèmes du corps*. Nouvelles Éditions de l'Arc, 1984.

GARNEAU, Michel, *Poésies complètes 1955-1987*. Montréal, Guérin littérature et Lausanne, L'Âge d'homme, 1988.

GAUDET, Gérald, *Lignes de nuit.* L'Hexagone, 1986.

GAULIN, Huguette, *Lecture en vélocipède.* Éditions du Jour, 1972 ; Les Herbes Rouges, 1983. Préface de Normand de Bellefeuille.

GAUVREAU, Claude, *Oeuvres créatrices complètes.* Parti Pris, « Collection du Chien d'Or », 1977.

GAY, Michel, *Métal mental.* Et cetera, 1981.

GAY, Michel, *Éclaboussures.* VLB, 1982.

GAY, Michel, *Écrire, la nuit.* NBJ, 1985.

GERVAIS, Guy, *Verbe silence.* L'Hexagone, 1987.

GIGUÈRE, Roland, *L'Âge de la parole, poèmes 1949-1960.* L'Hexagone, « Rétrospectives », 1965.

GIGUERE, Roland, *Forêt vierge folle.* L'Hexagone, « Parcours », 1978.

GIGUERE, Roland, *La Main au feu.* L'Hexagone, « Typo », 1987.

GODIN, Gérald, *Ils ne demandaient qu'à brûler, poèmes 1960-1986.* L'Hexagone, « Rétrospectives », 1987.

GRANDBOIS, Alain, *Poèmes. Les îles de la nuit. Rivages de l'homme. L'Étoile pourpre.* L'Hexagone, « Rétrospectives », 1979.

GRANDBOIS, Alain, *Poèmes inédits.* Presses de l'Université de Montréal, 1985.

HAECK, Philippe, *La Parole verte.* VLB, 1982.

HAECK, Philippe, *L'Atelier du matin.* VLB, 1987.

HAEFFELY, Claude, *La Pointe du vent.* L'Hexagone, « Parcours », 1982.

HAEFFELY, Claude, *Les Voyages transparents*, avec des monotypes d'Antoine Pentsch. Éditions du Silence, 1987.

HALLAL, Jean, *Les Concevables Interdits.* L'Hexagone, 1987.

HÉBERT, Anne, *Poèmes. Le Tombeau des Rois et Mystère de la parole.* Paris, éditions du Seuil, 1960.

HÉNAULT, Gilles, *Signaux pour les voyants, poèmes 1941-1962.* L'Hexagone, « Typo », 1984.

HORIC, Alain, *Les Coqs égorgés.* L'Hexagone, 1972.

ISSENHUTH, Jean-Pierre, *Entretien d'un autre temps*. L'Hexagone, 1981.

JACOB, Louis, *Des noirceurs du corps*. Trois-Rivières, Écrits des Forges, 1987.

KURAPEL, Alberto, *Correo de exilio/Courrier d'exil*. Éditions du Trottoir, 1986.

LABERGE, Marie, *Aux mouvances du temps, poésie 1961-1971*. Leméac, 1981.

LAFOND, Guy, *Les Cloches d'autres mondes*. Hurtubise HMH, 1977.

LA FRENIERE, Denise, *Sensuelle & sans cœur*. Chaillé-sous-les-Ormeaux (Vendée), Le Dé bleu/Louis Dubost, 1983.

LALONDE, Michèle, *Speak White*, (poème-affiche). L'Hexagone, 1974.

LALONDE, Michèle, *Défense et illustration de la langue québécoise* suivi de *Prose et poèmes*. Paris, Seghers/Laffont, « Change », 1979.

LANGEVIN, Gilbert, *Origines (1959-1967)*. Éditions du Jour, 1971.

LANGEVIN, Gilbert, *Mon refuge est un volcan*. L'Hexagone, 1978.

LANGEVIN, Gilbert, *Le Fou solidaire*. L'Hexagone, 1980.

LANGEVIN, Gilbert, *Entre l'inerte et les clameurs*.Trois-Rivières, Écrits des Forges, 1985.

LANGFORD, Georges, *L'Anse-aux-Demoiselles*. Leméac, 1985.

LAPOINTE, Gatien, *Ode au Saint-Laurent* précédé de *J'appartiens à la terre* et de *Le Chevalier de neige*. Éditions du Jour, 1963.

LAPOINTE, Gatien, *Arbre-radar*. L'Hexagone, 1980.

LAPOINTE, Paul-Marie, *Le Réel absolu, poèmes 1948-1965*. L'Hexagone, 1971.

LAPOINTE, Paul-Marie, *Tableaux de l'amoureuse* suivi de *Une, unique ; Art égyptien ; Voyage & autres poèmes*. L'Hexagone, 1974.

LAPOINTE, Paul-Marie, *écRiturEs*. L'Obsidienne, 1980, 2 vol.

LASNIER, Rina, *Poèmes*. Fides, « Collection du Nénuphar », 1972, 2 vol. Avant-dire de l'auteur.

LASNIER, Rina, *L'Ombre jetée I et II*. Trois-Rivières, Écrits des Forges, 1987 et 1988, Présentation de Louise Blouin.

LATIF-GHATTAS, Mona, *Quarante voiles pour un exil*. Laval, Éditions Trois, 1986.

LECLERC, Félix, *Le choix de Félix Leclerc dans l'œuvre de Félix Leclerc*. Charlesbourg, Presses Laurentiennes, 1983.

LECLERC, Félix, *Cent chansons*. Bibliothèque québécoise, 1988.

LECLERC, Félix, *Dernier calepin*. Nouvelles Éditions de l'Arc, 1988.

LECLERC, Michel, *La Traversée du réel* précédé de *Dorénavant la poésie*. L'Hexagone, 1977.

LECLERC, Michel, *Écrire ou la Disparition*. L'Hexagone, 1984.

LECLERC, Rachel, *Vivre n'est pas clair*. Saint-Lambert, Noroît, 1986.

LECOMPTE, Luc, *Les Étirements du regard*. L'Hexagone, 1986.

LEFRANÇOIS, Alexis, *Comme tournant la page. I: poèmes 1968-1978 ; II : petites choses 1968-1978*. Saint-Lambert, Noroît, 1984.

LEGAGNEUR, Serge, *Textes en croix*. Nouvelle Optique, 1978.

LEGRIS, Isabelle, *Le Sceau de l'ellipse, poèmes 1941-1967*. L'Hexagone, 1979.

LEMAIRE, Michel, *Ambre gris*. Saint-Lambert, Noroît, 1985.

LEMAY, Pamphile, *Pamphile Lemay*. Fides, « Classiques canadiens », 1969. Présenté par Romain Légaré.

LESCARBOT, Marc, *Marc Lescarbot*. Fides, « Classiques canadiens », 1968. Présenté par René Beaudry.

LONGCHAMPS, Renaud, *Anticorps, poèmes 1972-1978*. VLB, 1982.

LONGCHAMPS, Renaud, *Miguasha*. VLB, 1983.

LONGCHAMPS, Renaud, *Le Détail de l'apocalypse*. VLB, 1985.

LORANGER, Jean Aubert, *Les Atmosphères* suivi de *Poèmes*. Hurtubise HMH, 1970.

LOZEAU, Albert, *Poésies complètes*. Le Devoir, 1925-1926, 3 vol.

LTAIF, Nadine, *Les Métamorphoses d'Ishtar*. Guernica, 1987.

MALENFANT, Paul Chanel, *Les Noms du père* suivi de *Lieux dits : italique*. Saint-Lambert, Noroît, 1985.

MALENFANT, Paul Chanel, *En tout état de corps*. Trois-Rivières, Écrits des Forges, 1985.

MARCHAND, Clément, *Les Soirs rouges*. Trois-Rivières, Éditions du Bien public, 1947 ; Stanké, « Québec 10/10 », 1986. Préface de Claude Beausoleil.

MARCHAND, Olivier, *Par détresse et tendresse, poèmes 1953-1965*. L'Hexagone, « Rétrospectives », 1971.

MARTEAU, Robert, *Mont-Royal, journal*. Paris, Gallimard, 1981.

MARTEAU, Robert, *Fleuve sans fin, Journal du Saint-Laurent*. Paris, Gallimard, 1986.

MÉLANÇON, Robert, *Peinture aveugle*. VLB, 1979.

MIRON, Gaston, *L'Homme rapaillé*. Presses de l'Université de Montréal, 1970.

MIRON, Gaston, *Courtepointes*. Éditions de l'Université d'Ottawa, 1975.

MOLIN VASSEUR, Annie, *PASSION puissance 2*. Saint-Lambert, Noroît, 1984.

MONETTE, Hélène, *Montréal brûle-t-elle ?* Trois-Rivières, Écrits des Forges, 1987.

MORENCY, Pierre, *Quand nous serons, poèmes 1967-1978*. L'Hexagone, « Rétrospectives », 1988.

MORENCY, Pierre, *Effets personnels* suivi de *Douze jours dans une nuit*. L'Hexagone, 1987.

MORIN, Paul, *Œuvres poétiques. Le Paon d'émail. Poèmes de Cendre et d'Or*. Fides, « Collection du Nénuphar », 1961. Texte établi et présenté par Jean-Paul Plante.

NELLIGAN, Émile, *Poésies complètes 1896-1899.* Fides, « Collection du Nénuphar », 1978. Texte établi et annoté par Luc Lacoursière.

NEPVEU, Pierre, *Couleur chair.* L'Hexagone, 1980.

NEPVEU, Pierre, *Mahler et autres matières.* Saint-Lambert, Noroît, 1983.

OUELLETTE, Fernand, *Poésie : poèmes 1953-1971.* L'Hexagone, « Rétrospectives », 1972.

OUELLETTE, Fernand, *Ici, ailleurs, la lumière.* L'Hexagone, 1977.

OUELLETTE, Fernand, *Les Heures.* Montréal, l'Hexagone et Paris, Champ Vallon, 1987 ; l'Hexagone, « Typo », 1988.

PARADIS, Claude, *Stérile Amérique.* Leméac, 1985.

PARADIS, Suzanne, *Un goût de sel.* Leméac, 1983.

PERRAULT, Pierre, *Chouennes, poèmes 1961-1971.* L'Hexagone, « Rétrospectives », 1975.

PERRAULT, Pierre, *Gélivures.* L'Hexagone, « Rétrospectives », 1977.

PERRIER, Luc, *Du temps que j'aime.* L'Hexagone, 1963.

PHELPS, Anthony, *La Bélière Caraïbe.* Nouvelle Optique, 1980.

PHELPS, Anthony, *Même le soleil est nu.* Nouvelle Optique, 1983.

PHELPS, Anthony, *Orchidée nègre.* Triptyque, 1987.

PICHÉ, Alphonse, *Poèmes (1946-1968).* L'Hexagone, « Rétrospectives », 1976.

PICHÉ, Alphonse, *Dernier Profil.* Trois-Rivières, Écrits des Forges, 1982.

PICHÉ, Alphonse, *Sursis.* Trois-Rivières, Écrits des Forges, 1987.

PILON, Jean-Guy, *Comme eau retenue, Poèmes 1954-1977.* L'Hexagone, « Typo », 1985.

POZIER, Bernard, *Tête de lecture.* Trois-Rivières, Écrits des Forges, 1980.

POZIER, Bernard, *45 tours.* Trois-Rivières, Écrits des Forges, 1981.

POZIER, Bernard, *Bacilles de tendresse*. Trois-Rivières, Écrits des Forges, 1985.

PRÉFONTAINE, Yves, *Pays sans parole*. L'Hexagone, 1967.

RENAUD, Thérèse, *Les Sables du rêve*. Les Cahiers de la file indienne, 1946 ; Les Herbes Rouges, 29, 1975.

ROUTIER, Simone, *Le choix de Simone Routier dans l'œuvre de Simone Routier*. Charlesbourg, Presses Laurentiennes 1981.

ROY, André, *Les Passions du samedi*. Les Herbes Rouges, « Lecture en vélocipède », 1979.

ROY, André, *Action Writing*. Les Herbes Rouges, 1985.

ROY, André, *C'est encore le solitaire qui parle*. Les Herbes Rouges, 144, 1986.

ROY, André, *L'Accélérateur d'intensité* suivi de *On ne sait pas si c'est écrit avant ou après la grande conflagration*. Trois-Rivières, Écrits des Forges et Pantin, Le Castor Astral, 1987.

ROYER, Jean, *Depuis l'amour*. Montréal, l'Hexagone et Paris, La Table Rase, 1987.

ROYER, Jean, *Poèmes d'amour*. L'Hexagone, « Typo », 1988.

SAINT-DENIS, Janou, *Les Carnets de l'audace*. La Pleine Lune, 1981.

SAINT-DENIS, Janou, *La Roue de feu secret*. Leméac, 1985.

SAINT-DENYS-GARNEAU, *Poésies complètes*. Fides, « Collection du Nénuphar », 1972.

SAINT-DENYS-GARNEAU, *Le choix de Jacques Blais dans l'œuvre de Saint-Denys Garneau*, Charlesbourg. Les Presses Laurentiennes, 1987.

SAVARD, Marie, *Sur l'air d'Iphigénie*. La Pleine Lune, 1984.

SAVARD, Michel, *Le Sourire des chefs*. Saint-Lambert, Noroît, 1987.

SÉNÉCAL, Éva, *Le choix d'Éva Sénécal dans l'œuvre d'Éva Sénécal*. Charlesbourg, Presses Laurentiennes, 1987.

STRARAM, le bison ravi, Patrick, *Blues clair — quatre quatuors en trains qu'amour advienne*. Saint-Lambert, Noroît, 1984.

TÉTREAU, François, *L'Architecture pressentie.* L'Hexagone, « Collection H », 1981.

THÉORET, France, *Bloody Mary.* Les Herbes Rouges, 45, 1977.

THÉORET, France, *Une voix pour Odile.* Les Herbes Rouges, 1978.

THÉORET, France, *Intérieurs.* Les Herbes Rouges, 125, 1984.

TURCOTTE, Élise, *La Voix de Carla.* VLB, 1987.

UGUAY, Marie, *Poèmes. Signe et Rumeur. L'Outre-vie. Autoportraits. Poèmes inédits.* Saint-Lambert, Noroît, 1986. Préface de Jacques Brault.

VALOIS, Léonise (Atala), *Fleurs sauvages.* Librairie Beauchemin, 1910.

VALOIS, Léonise (Atala), *Feuilles tombées.* Librairie Beauchemin, 1934.

VANIER, Denis, *Oeuvres poétiques complètes, tome 1 (1965-1979).* VLB/Parti Pris, 1980.

VANIER, Denis (en collaboration avec Josée Yvon), *Koréphilie.* Trois-Rivières, Écrits des Forges, 1982.

VAN SCHENDEL, Michel, *De l'œil et de l'écoute, poèmes 1956-1976.* L'Hexagone, « Rétrospectives », 1980.

VAN SCHENDEL, Michel, *Autres, autrement.* L'Hexagone, 1983.

VAN SCHENDEL, Michel, *Extrême Livre des voyages.* L'Hexagone, 1987.

VÉZINA, Medjé, *Le choix de Jacqueline Vézina dans l'œuvre de Medjé Vézina.* Charlesbourg, Presses Laurentiennes, 1974.

VIGNEAULT, Gilles, *Le Grand Cerf-volant.* Paris, Seuil, « Points », 1987.

VILLEMAIRE, Yolande, *Adrénaline.* Saint-Lambert, Noroît, 1982.

VILLEMAIRE, Yolande, *Jeunes femmes rouges toujours plus belles.* Lèvres Urbaines, 8, 1984.

VILLEMAIRE, Yolande, *Quartz et Mica.* Trois-Rivières, Écrits des Forges et Paris, Le Castor Astral, 1985.

WARREN, Louise, *L'Amant gris.* Triptyque, 1984.

YERGEAU, Robert, *L'Usage du réel* suivi de *Exercices de tir*. Saint-Lambert, Noroît, 1986.

YERGEAU, Robert, *Le Tombeau d'Adélina Albert*. Saint-Lambert, Noroît, 1987.

YVON, Josée (en collaboration avec Denis Vanier), *Koréphilie*. Trois-Rivières, Écrits des Forges, 1981.

YVON, Josée, *Danseuses-mamelouk*. VLB, 1982.

ZUMTHOR, Paul, *Midi le juste*. Gourdon (France), Dominique Bedou, 1986.

ZUMTHOR, Paul, *Stèles* suivi de *Avents*. Laval, Éditions Trois, 1986.

# INDEX

# Crédits photographiques

Page 40 :
*Pamphile Lemay :* Archives nationales du Québec
*Léonise Valois :* Archives familiales
*Medjé Vézina :* Presses Laurentiennes
*Alfred Desrochers :* Kèro

Page 55 :
*Saint-Denys-Garneau :* Archives nationales du Québec
*Rina Lasnier :* Fides
*Alain Grandbois :* Archives nationales du Québec
*Alphonse Piché :* Écrits des Forges

Page 70 :
*Félix Leclerc :* Archives nationales du Québec
*Gilles Hénault :* L'Hexagone
*Roland Giguère :* L'Hexagone
*Jean-Guy Pilon :* Ministère des Affaires culturelles du Québec

Page 83 :
*Cécile Cloutier :* L'Hexagone
*Gilles Vigneault :* Birgit / Nouvelles éditions de l'Arc
*Jacques Brault :* Marc Lajoie
*Paul Chamberland :* Jacques Grenier / *Le Devoir*

Page 101 :
*Michel Beaulieu :* Jean Yves Collette
*Nicole Brossard :* Denyse Coutu
*France Théoret :* Micheline de Jordy
*Claude Beausoleil :* William Mimouni

Page 145 :
*Alexis Lefrançois :* Noroît
*Anne-Marie Alonzo :* Anne de Guise
*Louise Warren :* André Lamarre
*Michael Delisle :* Jacques Perron

Page 178 :
*Francine Déry :* Jean Bernier / Noroît
*François Charron :* Yvan Dumouchel / Les Herbes Rouges
*André Roy :* Yvan Dumouchel / Les Herbes Rouges
*Pierre Morency :* Claire Dufour

Page 208 :
*Michel Garneau :* Robert Laliberté
*Roger Des Roches :* Marie-Josée Robitaille
*Élise Turcotte :* Alain Brunet
*Antonio D'Alfonso :* Guernica

Page 243 :
*Bernard Pozier et Louise Blouin :* Archives personnelles
*Marcel Hébert :* René Ménard
*François Hébert :* René Ménard
*Célyne Fortin et René Bonenfant :* Noroît
*Alain Horic* : L'Hexagone

Page 295 :
*Jean Royer :* François Royer

# Table des matières

CINQUIÈME PARTIE

LA POÉSIE D'AUJOURD'HUI

## Du même auteur

### *Poésie*

*À patience d'aimer*. Québec, éditions de l'Aile, 1966.

*Nos corps habitables*. Québec, éditions de l'Arc, 1969.

*La parole me vient de ton corps* suivi de *Nos corps habitables*. Montréal, Nouvelles éditions de l'Arc, 1974.

*Les Heures nues*. Québec, Nouvelles éditions de l'Arc, 1979.

*Faim souveraine*. Montréal, l'Hexagone, 1980.

*L'Intime Soif*. Montréal, éditions du Silence, 1981.

*Jours d'atelier*. Saint-Lambert, éditions du Noroît, 1984.

*Le Chemin brûlé*. Montréal, l'Hexagone, 1986.

*Depuis l'amour*. Montréal et Paris, l'Hexagone et la Table rase, 1987 : prix du Journal de Montréal, 1987 et prix Claude-Sernet 1988 (Rodez, France).

*Poèmes d'amour*. Montréal, l'Hexagone, « Typo », 1988.

### *Essais*

*Pays intimes, entretiens 1966-1976*. Montréal, Léméac, 1976.

*Marie Uguay : la vie la poésie*, entretiens. Montréal, éditions du Silence, 1982.
*Écrivains contemporains, entretiens 1* : 1976-1979. Montréal, l'Hexagone, 1982.
*Écrivains contemporains, entretiens 2* : 1977-1980. Montréal, l'Hexagone, 1983.
*Écrivains contemporains, entretiens 3* : 1980-1983. Montréal, l'Hexagone, 1985.
*Écrivains contemporains, entretiens 4* : 1982-1986. Montréal, l'Hexagone, 1986.
*Le Québec en poésie*, anthologie. Paris et Montréal, Gallimard et Lacombe, « Folio junior », 1987.
*La Poésie québécoise contemporaine*, anthologie. Paris et Montréal, la Découverte et l'Hexagone, « Anthologies », 1987.

Jean Royer

Né en 1938, Jean Royer a d'abord pratiqué l'enseignement de la littérature, avant de devenir journaliste culturel dans les années 1960. Il est critique littéraire au quotidien *Le Devoir* depuis 1978. Il a fondé avec d'autres en 1976 la revue de poésie *Estuaire*, qu'il a dirigée et dont il est resté le principal animateur jusqu'en 1985. Poète, il a fait paraître une dizaine de recueils dont il a réuni l'essentiel sous le titre *Poèmes d'amour*, avec une préface de Noël Audet. Il a mérité pour sa poésie un des prix du *Journal de Montréal* en 1987 et le prix Claude-Sernet décerné aux Rencontres de Rodez (France) en 1988. Auteur de deux anthologies publiées à Paris chez Gallimard et aux éditions La Découverte en 1987, Jean Royer est considéré comme un des meilleurs connaisseurs de la poésie québécoise.

**Dans la même collection**

**AUBERT DE GASPÉ, Philippe**
Les Anciens Canadiens

**AUDET, Noël**
Quand la voile faseille

**BEAUGRAND, Honoré**
La Chasse-Galerie

**BERNIER, Jovette**
La Chair décevante

**BOIVIN, Aurélien**
Le Conte fantastique québécois au XIXe siècle

**BROSSARD, Jacques**
Le Métamorfaux

**BROSSARD, Nicole**
À tout regard

**CARPENTIER, André**
Rue Saint-Denis

**CLAPIN, Sylva**
Alma Rose

**CLOUTIER, Eugène**
Les Inutiles

**CONAN, Laure**
Angéline de Montbrun

**CONDEMINE, Odette**
Octave Crémazie, poète et témoin de son siècle

**COTNAM, Jacques**
Poètes du Québec

**CUSSON, Maurice**
Délinquants pourquoi ?

**DE ROQUEBRUNE, Robert**
Testament de mon enfance
Quartier Saint-Louis

**DESROCHERS, Alfred**
À l'ombre de l'Orford

**DESROSIERS, Léo-Paul**
Les Engagés du Grand-Portage
Nord-Sud

**ÉMOND, Maurice**
Anthologie de la nouvelle
et du conte fantastique québécois au XX^e^ siècle

**FERRON, Madeleine**
Cœur de sucre
La Fin des loups-garous

**FRÉCHETTE, Louis**
La Noël au Canada

**GIRARD, Rodolphe**
Marie Calumet

**GIROUX, André**
Au-delà des visages

**GODIN, Jean-Cléo et MAILHOT, Laurent**
Théâtre québécois I
Théâtre québécois II

**GRANDBOIS, Alain**
Les Îles de la nuit
Les Voyages de Marco Polo

**GRANDBOIS, Madeleine**
Maria de l'hospice

**GROULX, Lionel**
L'appel de la race

**GUÈVREMONT, Germaine**
Marie-Didace
Le Survenant

**HÉMON, Louis**
Maria Chapdelaine

**LACOMBE, Patrice**
La Terre paternelle

**LECLERC, Félix**
Cent chansons
Chansons pour tes yeux
Dialogues d'hommes et de bêtes
Le Calepin d'un flâneur
Le Fou de l'île
Le Hamac dans les voiles
Moi, mes souliers
Pieds nus dans l'aube

**LEMAY, Pamphile**
Contes vrais

**LORANGER, Jean-Aubert**
Joë Folcu

**LORD, Michel**
Anthologie de la science-fiction québécoise contemporaine

**NELLIGAN, Émile**
Poèmes choisis
Poésies complètes

**POULIN, Jacques**
Faites de beaux rêves

**ROYER, Jean**
Introduction à la poésie québécoise

**SAINT-DENYS-GARNEAU**
Poèmes choisis

**SAINT-MARTIN, Fernande**
Structures de l'espace pictural

**SAVARD, Félix-Antoine**
Menaud maître-draveur

**TACHÉ, Jean-Charles**
Forestiers et Voyageurs

**TARDIVEL, Jules-Paul**
Pour la patrie

**THÉRIAULT, Yves**
Ashini